HANES

Y Celtiaid Cynhennus a'r Rhufeiniaid Rhyfygus

Catrin Stevens

Lluniau Graham Howells

Gomer

Cyhoeddwyd yn 2014 gan Wasg Gomer,
Llandysul, Ceredigion SA44 4JL

ISBN 978 1 84851 766 0

Dymuna'r cyhoeddwyr gydnabod cymorth
Adrannau Cyngor Llyfrau Cymru.

Argraffwyd a rhwymwyd yng Nghymru gan
Wasg Gomer, Llandysul, Ceredigion SA44 4JL

CYNNWYS

CYFLWYNIAD

Mae pawb yn gwybod bod Hanes yn wirioneddol atgas
a bod haneswyr yn gallu bod yn haerllug iawn. Ond,
does dim byd yn gwneud haneswyr yn fwy haerllug na
hanes y Celtiaid Cynhennus. Os ydych chi'n joio
gweld haneswyr yn ffraeo'n ffyrnig (nid yn ffrio mewn
sosban sglodion, cofiwch!), yna sleifiwch i fyny y tu ôl
iddyn nhw a gweiddi 'CELTIAID CYNHENNUS' yn
eu clust. Byddan nhw'n neidio allan o'u crwyn ac yn
dechrau cecru'n gas a chynhennu'n chwyrn.

Dwi'n credu
BOD pobl o'r enw 'Y Celtiaid' yn
byw ar draws gogledd Ewrop –
o Iwerddon i Dwrci (gobl, gobl)
– yn yr Oes Haearn.

Rwtsh! Dwli dwl!
Celtiaid, wir – allwch chi ddim
profi hynna o gwbl!

Ydyn wir, mae'r Celtiaid Cynhennus yn gwneud
haneswyr yn gynhennus hefyd. Pa un o'r haneswyr hyn
sy'n iawn, tybed?

Cofiwch, gallwch chi ddefnyddio'r ddadl hon i osgoi gwneud unrhyw waith cartref ar y Celtiaid.

Oes, mae PROBLEM FAWR gyda'r Celtiaid.

Wel, rydyn ni WEDI penderfynu – achos hebddyn nhw fyddai dim llyfr am y Celtiaid Cynhennus, fydde fe? Felly bant â ni.

Ffaith Ffwdanus: Ydyn nhw'n rhaffu celwyddau?

Y gwir gwirion yw ei bod hi'n anodd iawn gwybod sut bobl oedd y Celtiaid Cynhennus, achos doedden nhw ddim wedi ysgrifennu unrhyw beth i lawr amdanyn nhw'u hunain. Mae haneswyr atgas yn gorfod dibynnu ar ddisgrifiadau eu gelynion – y Rhufeiniaid Rhyfygus, a hyd yn oed y Groegiaid Gwarthus – ohonyn nhw. Sut fyddai eich gelyn pennaf chi'n eich disgrifio chi, tybed? (Peidiwch ag ateb y cwestiwn yma – mae'r syniad yn rhy ddychrynllyd!)

Dyma ddwedodd yr hanesydd dan-din, Diodorus **Sic**ulus, am y Celtiaid y daeth e ar eu traws (mae ei enw'n ddigon i wneud i chi chwydu!):

Mae golwg ddychrynllyd arnyn nhw ac mae eu lleisiau yn ddwfn a chras . . . At hyn, maen nhw'n hoffi gorliwio wrth siarad, gan eu canmol eu hunain a bychanu pawb arall. Maen nhw'n brolio a bygwth hefyd ac yn hoffi defnyddio iaith fawreddog.

Oedd Siculus yn rhaffu celwyddau? Yn sicr doedd e ddim yn llawer o ffrind i'r Celtiaid, oedd e?

Ac roedd sylwadau Strabo, tipyn o strab a hanesydd arall o Wlad Groeg, yn waeth fyth:

Mae'r Celtiaid wedi gwirioni a dwlu ar ryfel. Maen nhw'n frwdfrydig ac yn barod iawn i frwydro.

RHYBUDD RHYFYGUS
Peidiwch llyncu'r sylwadau hyn am y Celtiaid Cynhennus heb binsiad mawr o halen pur.

Bydd yn well i chi ddarllen popeth amdanyn nhw yn yr hanes atgas hwn, ac yna gallwch chi benderfynu drosoch chi eich hun faint o wirionedd sydd yn eu stori. PENDERFYNWCH CHI!

Ar y llaw arall, does dim eisiau i haneswyr atgas boeni am y Rhufeiniaid Rhyfygus. Roedd ganddyn nhw ddigon o haneswyr hapus i adrodd eu holl hanes haerllug – i sôn am bob llwyddiant gawson nhw a chanmol eu campau campus i'r cymylau. Doedden nhw byth yn sôn am unrhyw bethau drwg wnaethon nhw, wrth gwrs. Felly mae PAWB yn gwybod am eu hymerodraeth haerllug, eu harweinwyr anhygoel a'u rhyfelwyr rhyfeddol nhw. Bydd eich athrawon wrth eu bodd â'u hanes heintus nhw, siŵr o fod, ac yn gofyn llwyth o gwestiynau gwirion fel y rhain i chi amdanyn nhw. Gwnewch eich gorau i ateb yn gall.

Ardderchog, ond mae lle i wella, felly beth am ddechrau gyda:

LLINELL AMSER Y CELTIAID CYNHENNUS A'R RHUFEINIAID RHYFYGUS

(Rhybudd bach cyn cychwyn. Mae'r llinell amser yma yn nodi blynyddoedd CC (Cyn Crist) ac OC (Oed Crist) ond mae hynny'n hollol wirion bost achos doedd neb yn defnyddio CC nac OC yn amser y Celtiaid Cynhennus a'r Rhufeiniaid Rhyfygus. Ond dyna ni – mae Hanes atgas bob amser yn wirion bost!)

64,000,000 mlynedd yn ôl
Y dinosoriaid yn marw allan am byth bythoedd, Amen (ond mae pawb yn gwybod eich bod chi'n cuddio un dan eich gwely! W . . . w . . . w)

Pi-po, ydy hi'n ddiogel i fi ddod allan nawr, plîs?

225,000 mlynedd yn ôl
Y dynion cyntaf yn byw yng Nghymru. (Roedd menywod yn byw yno hefyd wrth gwrs neu fyddai dim plant na neb i wneud y gwaith caled i gyd!)

Tua 4500 CC ymlaen
Dechrau ffermio'r tir yn lle dibynnu ar hela. Gwledd o fara a chig carw nawr felly (iym, iym).

Tua 3500-1200 cc

Codi cylchoedd cerrig a chromlechi fel Pentre Ifan (pwy oedd Ifan?), sir Benfro a Barclodiad y Gawres, sir Fôn. Dynion sili o ardal y Preseli yn cario 82 o gerrig glas yn pwyso 4 tunnell (tua 4,000 bag siwgr) yr un, 240 milltir dros dir a môr i adeiladu Côr y Cewri yn ne Lloegr.

> Sori, bois, maen nhw'r lliw glas anghywir. Bydd yn rhaid i chi fynd â nhw 'nôl.

Tua 2500-700 cc

Yr Oes Efydd – defnyddio copr ac efydd i wneud offer o bob math. Copr yn cael ei gloddio ar Benygogarth, ger Llandudno.

Hei ho, hei ho,
I'r Gogarth awn am dro,
I chwysu a chloddio am gopor diguro,
Hei ho, hei ho, hei ho, hei ho!

11

Tua 800 cc-tua oc 100

Yr Oes Haearn – cyfnod y Celtiaid Cynhennus.
Codi bryngaerau a byw mewn tai crwn.

Tua 650 cc

Y Celtiaid yn taflu offer haearn i mewn i Lyn
Fawr, Cwm Rhondda. Dyna wastraff.

Dim rhagor o smwddio crysau'r gŵr gyda'r haearn yna byth eto!

Tua 300 cc-oc 100

Taflu rhagor o offer gwerthfawr
i Lyn Cerrig Bach
ar Ynys Môn.

Rŵan, ble yn y byd dwi wedi rhoi'r cleddyf yna?

55 cc

10,000 o Rufeiniaid, dan arweiniad y cadfridog
cyfrwys Iŵl Cesar, yn croesi i Brydain i roi trefn
ar Geltiaid y de-ddwyrain. Ond y tywydd garw'n eu
gyrru'n ôl ar draws y sianel. (Ta ta, a diolch yn
fawr i Morus y gwynt ac Ifan y glaw.)

54 CC

Iŵl Cesar yn ei ôl, gyda 25,000 o filwyr y tro hwn (Help!). Ond storm fawr yn dryllio'i longau a gwrthryfel yng Ngâl (Ffrainc heddiw) yn ei orfodi i droi'n ôl (Hwrê!).

OC 43–tua OC 410

Oes y Rhufeiniaid Rhyfygus.

OC 43

Yr Ymerawdwr Claudius (bos y Rhufeiniaid) yn gorchymyn i Aulus Plautius, ei gadfridog, ymosod ar Brydain. Dyma nhw'n dod . . . dim dianc rhag y Rhufeiniaid nawr.

OC 43–51

Caradog y Celt, brenin llwyth y Catuvellauni yn nwyrain Lloegr, yn arwain gwrthryfel gwerila yn erbyn y Rhufeiniaid Rhyfygus, ond yn cael ei drechu mewn brwydr yn OC 51. (Rhagor o hanes y Celt carlamus hwn ar dudalen 71.)

Nage, nage, gwrthryfel **gwerila** nid **gorila** oedd hwn i fod!

OC 52–58

Llwyth y Silwres yn ne-ddwyrain Cymru yn brwydro yn erbyn y Rhufeiniaid. Y Silwres yn llwyddo i drechu lleng o filwyr Rhufeinig ond yna'n colli'r dydd (trist iawn, feri sad!).

OC 61

Gaius Suetonius Paulinus (Polyn Seimllyd, i'r Celtiaid), cadfridog clyfar y Rhufeiniaid, yn dod â byddin bril i ymosod ar y derwyddon Celtaidd ar Ynys Môn. Cyflafan enfawr, cystal ag unrhyw ffilm epig o Hollywood.

OND tra oedd e'n potsian ym Môn, llwyth yr Iceni yn codi mewn gwrthryfel gwyllt yn y dwyrain dan arweiniad y frenhines Buddug. Paulinus yn gorfod gadael Môn ar frys. Ar ôl brwydr ffyrnig, Buddug yn cael ei threchu a'r gwrthryfel ar ben. Dim **buddug**oliaeth i Buddug frawychus y tro hwn, druan. (Darllenwch bopeth amdani ar dudalennau 65–67.)

OC 78

Sextus Julius **Front**inus (roedd e'n hoffi bod ar y blaen) yn ceisio cwblhau'r gwaith o ddarostwng Cymru – gan ddechrau gyda'r Silwres yn y de-ddwyrain.

OC 75–78

Y Rhufeiniaid yn sefydlu nifer o gaerau yng Nghymru e.e. Isca Silurum (Caerllion), Moridunum (Caerfyrddin) a Segontium (Caernarfon).

Hydref OC 78

Gnaeus Julius Agricola yn parhau gwaith Frontinus ac yn ymosod ar lwyth yr Ordovices yn y gogledd; yna ymlaen i Ynys Môn, lle roedd rhai derwyddon dychrynllyd yn dal i guddio rhag y Rhufeiniaid Rhyfygus. A dyna ddiwedd arnyn nhw (tan iddyn nhw gael eu hatgyfodi mewn eisteddfodau modern!).

OC 122

Yr Ymerawdwr Hadrian yn adeiladu mur 73 milltir o hyd o Newcastle i Gaerliwelydd yng ngogledd Lloegr. Symud milwyr o Gaerllion i fyny i rewi yn y gogledd.

Ble mae Mur Hadrian?

Ar waelod ei ardd e, siŵr o fod!

OC 214

Yr Ymerawdwr Caracalla yn dweud bod pob dyn a menyw rydd yn yr Ymerodraeth Rufeinig yn cael bod yn ddinesydd Rhufeinig. (Waw! Dyna fraint!)

OC 383

Magnus Maximus (Macsen Wledig i ni'r Cymry) yn cael ei ddyrchafu'n Ymerawdwr Rhufain gan y fyddin ym Mhrydain. Macsen annwyl yn breuddwydio am syrthio mewn cariad gydag Elen benfelen o Gaernarfon – y ferch harddaf yn y byd i gyd. (Dim syndod. Beth arall fyddech chi'n ei ddisgwyl gan Gofi o Gaernarfon?)

OC 400-410

Byddin Rhufain yn gadael Prydain ac yn mynd adre i'r Eidal (Hwyl fawr a gwynt teg ar eu hôl nhw!). Ond ar ôl iddyn nhw fynd dyma'r Gwyddelod o Iwerddon a'r Eingl a'r Saeson o Ewrop yn gweld eu cyfle ac yn dechrau ymosod ar Brydain o bob cyfeiriad bron – gorllewin, dwyrain a de. Mae'n draed moch.

Help, dewch 'nôl plîs, Rufeiniaid! Rydyn ni'n maddau popeth i chi.

CWIS CYFLYM CYN CYCHWYN –
AM Y CELTIAID CYNHENNUS

Ie, fe ddechreuwn ni yn y dechrau (clyfar iawn!) gyda'r Celtiaid Cynhennus ac anghofio am funud am y Rhufeiniaid Rhyfygus. Rhowch farc i'ch hunan am bob ateb cywir (clyfar iawn, iawn).

1. *Pam roedd y Celtiaid mor gynhennus?*
(a) Cynhennus?! Cynhennus?! Doedden nhw DDIM yn gynhennus o gwbl! PEIDIWCH â bod mor haerllug!

(b) Am fod llawer o lwythau gwahanol yn byw yn ymyl ei gilydd a bod pob llwyth yn trio dwyn tir a gwartheg llwyth arall.
(c) Am eu bod nhw'n mwynhau cecru a ffraeo ymysg ei gilydd. Cofiwch mai'r Celtiaid yw ein hen, hen, hen ... deidiau a'n neiniau ni'r Cymry!

2. *Beth oedd enw iawn y bobl oedd yn byw yng Nghymru yn yr Oes Haearn?*
(a) Yr Haearnwyr.
(b) Y Celtiaid (ond dim byd i'w wneud â thîm pêl-droed Celtic yn yr Alban).
(c) Y Brythoniaid (ond nid Côr Meibion y Brythoniaid o Flaenau Ffestiniog chwaith).

3. *Pam eu bod nhw'n byw ar ben bryniau?*
(a) Er mwyn bod yn fwy diogel pan fyddai gelynion yn ymosod.
(b) Am eu bod nhw'n hoffi rhewi yno yn oerfel y gaeaf.
(c) Er mwyn mwynhau'r golygfeydd gogoneddus.

4. *Pwy neu beth oedd y Celtiaid yn ei addoli?*
(a) Chwaraewyr rygbi neu bêl-droed gwych.
(b) Unrhyw seren ffilm o Gymru.

(c) Pob math o dduwiau gwahanol o'r byd o'u cwmpas.

ATEBION

1b: Roedd llawer iawn o lwythau lysti yn cystadlu am dir ac yn dwyn gwartheg ei gilydd, felly roedden nhw'n gynhennus iawn. Yng Nghymru roedd pedwar prif lwyth: y **Demetae** yn y de-orllewin, y **Silwres** yn y de-ddwyrain, y **Deceangli** yn y gogledd-ddwyrain a'r **Ordovices** yn y gogledd-orllewin a'r canolbarth. Dyna i chi bedwar tîm rygbi rhanbarthol ardderchog (yn lle'r Gweilch, y Scarlets . . .).

Ordovices 3 buwch
Silwres 10 buwch

2b neu **c**? Dim cliw! Ond dim yr Haearnwyr yn sicr, achos doedd ffilmiau'r *Iron Man* ddim wedi ymddangos eto. Yn Ewrop roedden nhw'n galw llwythau tebyg yn Keltoi (Celtiaid), ond ym Mhrydain efallai mai'r enw iawn oedd 'y Brythoniaid'. Cymysglyd iawn. Oes ots?

3a: Unwaith eto, dydyn ni ddim yn siŵr achos roedd bryngaer yn lle twp i fyw pan nad oedd gelyn o gwmpas. Byddai'n gwneud mwy o synnwyr i fyw i lawr yn y dyffryn a ffermio'r tir ffrwythlon. Pos arall am y Celtiaid dydy haneswyr ac archeolegwyr ddim wedi'i ddatrys.

4c: Yn wahanol i Gymry heddiw, doedden nhw ddim yn addoli chwaraewyr rygbi na sêr ffilmiau Hollywood. Roedd yn llawer gwell ganddyn nhw addoli afon neu goeden neu ffynnon.

RHYFELWYR RHAGOROL Y CELTIAID CYNHENNUS

Gyda chymaint o elynion – pob llwyth Celtaidd arall, y Rhufeiniaid ac wedyn y Gwyddelod – does dim rhyfedd fod y Celtiaid yn rhyfelwyr rhagorol.

Hoffech chi fod yn Rhyfelwr Rhagorol? Os felly, rhaid gwybod popeth am y ffasiynau rhyfelgar diweddaraf:

✠ Fydd dim rhaid i chi gael arfwisg haearn ddrud. Roedd rhai Celtiaid yn ymladd yn noeth (neu'n borcyn os oedden nhw'n un o lwyth y Demetae o'r de-orllewin). Mae'n siŵr y byddai gweld corff noeth ambell Gelt yn ddigon i godi arswyd ar y gelyn. Os nad ydych chi'n ffansïo bod yn noethlymun (babi Mam!) gallwch wisgo trowsus lliwgar a chlogyn. A gallwch wisgo helmed haearn ar eich pen.

✠ Gofalwch fod cerflun o faedd gwyllt ar dop yr helmed (y ffasiwn ddiweddaraf). Bydd yn gwneud i chi edrych yn dalach ac yn dychryn y gelyn (os nad ydy e'n Gelt hefyd, wrth gwrs, ac yn gwisgo helmed fwy fyth!).

✠ Gwisgwch dorch am eich gwddf – bydd yn edrych yn bert ond yn hollol ddi-werth os cewch eich trywanu.

✠ Cariwch darian bren fawr, hirgrwn (i guddio darnau amheus o'ch corff).

✠ Bydd angen cael cleddyf haearn cryf i drywanu'r gelyn yn ei fol, yn ei ben, ar ei fraich – unrhyw le y gallwch chi – NEU waywffon hir i daflu at y gelyn a'i ladd.

✠ Ac i gwblhau'r olwg ofnadwy bydd angen tatŵ trawiadol.

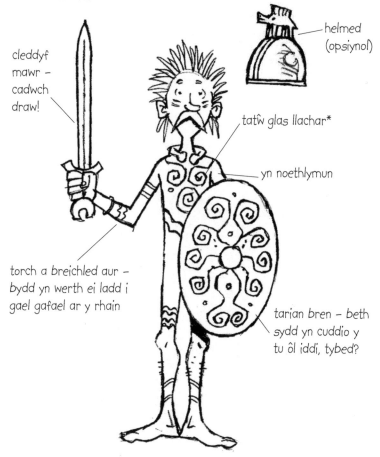

helmed (opsiynol)

cleddyf mawr – cadwch draw!

tatŵ glas llachar*

yn noethlymun

torch a breichled aur – bydd yn werth ei ladd i gael gafael ar y rhain

tarian bren – beth sydd yn cuddio y tu ôl iddi, tybed?

* Un ffaith ffantastig am gael tatŵ o laslys cyn mynd i ryfel. Credwch neu beidio mae glaslys yn gweithio fel antiseptig. Felly, os byddai rhyfelwr yn cael anaf byddai'n help iddo wella'n gyflym. Celtiaid clyfar iawn ynte?

I wneud tatŵ trawiadol
(nid trwy ymweld â pharlwr tatŵs yn Abertawe):

1. Casglwch lysiau glas (nid tatws ond glaslys) a
sychwch y dail trwy eu hongian wyneb i waered am
amser hir (peidiwch â defnyddio peiriant sychu
gwallt!). Gobeithio bydd gan eich gelyn ddigon o
amynedd i aros i chi wneud hyn.

2. Pan fyddan nhw wedi sychu, malwch nhw'n
bowdwr mân.

3. Gwnewch bâst ohonyn nhw trwy ychwanegu dŵr
neu biso (byddwch yn drewi wedyn, wrth gwrs, a
bydd hyn yn help i gadw'r gelyn draw!).

4. Peintiwch y lliw glas ar eich corff yn batrymau pert
gyda llawer o gylchoedd a sbiralau. Gofynnwch i
ffrind beintio'ch cefn – neu bydd llanast!

5. Rydych yn barod i fynd i ryfel nawr – bydd y tatŵ
trawiadol yn codi ofn ofnadwy ar eich gelyn (wel,
dyna'r gobaith, beth bynnag).

Sut i ymladd – yn steil y Celtiaid

Fel rhyfelwr rhyfeddol byddwch yn barod yn awr i ryfela yn steil y Celtiaid. Iŵl Cesar, y Rhufeiniad Rhyfygus, sy'n disgrifio'r steil yma orau:

Mae'r Celtiaid yn ymladd o gerbydau rhyfel sy'n cael eu tynnu gan geffylau. Byddan nhw'n gyrru'r cerbydau ar hyd a lled maes y gad ac yn taflu gwaywffyn at y gelyn. Bydd gweld y ceffylau'n rhedeg yn wyllt a chlywed sŵn olwynion y cerbydau'n codi ias o ofn ar bawb. Mae rhyfelwr Celtaidd yn gallu rhedeg fel mellten ar hyd y polyn o'r cerbyd at y ceffylau ac yna yn ôl. Bydd y rhyfelwyr yn ymarfer gyrru eu cerbydau bob dydd nes eu bod yn wych am wneud hynny. Byddan nhw'n gallu gyrru'r ceffylau ar garlam ac yna'u stopio a'u troi mewn munud.

23

Ond y brif dacteg oedd codi ofn a braw ofnadwy ar y gelyn trwy edrych yn ddychrynllyd mewn helmed enfawr, gyda thatŵs glas, a thrwy gadw sŵn dychrynllyd ag olwynion y cerbydau neu trwy seinio trwmped cras. Roedd yn ddigon i godi gwallt pen pob gelyn!

Ond mewn gwirionedd, mae'n rhaid cyfaddef nad oedd llawer o siâp ar y Celtiaid Cynhennus mewn brwydr. Roedd pob brwydr yn mynd yn draed moch gan fod cymaint o weiddi a strancio.

Dwi'n mynd – trefn neu beidio. Mae gen i apwyntiad yn y siop drin gwallt!

Bant â'u Pennau

Roedd un arfer afiach iawn gan ryfelwyr y Celtiaid Cynhennus. Pan fydden nhw'n dod **benben** â gelyn **pen**derfynol bydden nhw'n torri ei ben e i ffwrdd (ar ôl ei ladd, wrth gwrs). Yna byddai'r pen yn cael ei glymu wrth gyfrwy'r ceffyl a'i arddangos i bawb i brofi ei fod e'n rhyfelwr rhagorol.

Byddai penaethiaid y llwythi'n cystadlu am y pennau gorau (dyna lwcus nad oedden nhw yn cystadlu am **ben**olau neu **ben**gliniau, ynte?).

Gen i mae'r pennau gorau. Ta-ra-ra-ra-ra! Mae gen i rai **pen**stiff, **pen**chwiban a **phen**boeth!

Dwi'n **ben**wan, dwi wedi casglu'r **pen**olau anghywir!

Ar ôl cyrraedd adre bydden nhw'n socian y pennau **pen**igamp mewn olew cedrwydd ac yna:

 naill ai yn eu cadw mewn cist yn y tŷ a'u dangos i ffrindiau oedd yn galw heibio am sgwrs a phaned (fydden nhw ddim yn ffrindiau'n hir yng nghanol y drewdod yna!)

 neu yn eu hongian i sychu y tu allan i'w cartrefi fel addurniadau Nadolig heddiw, i bawb gael gwybod rhyfelwyr mor wych oedden nhw.

Yn y **pen**-draw dim ond y **pen**glogau oedd ar ôl, ac roedd pawb ar **ben** eu digon.

Ben-digedig

A phan fydden nhw'n cynnal parti pen-blwydd bach i ddathlu hanes torri'r pennau, byddai rhywun yn siŵr o adrodd y chwedl chwithig o'r Mabinogi am y cawr mawr Bendigeidfran a'i ben ar-ben-nig e. Dyma bennod o'r hanes:

Roedd Bendigeidfran y cawr a byddin o Gymry wedi mynd allan i Iwerddon i achub Branwen, chwaer y cawr rhag ei gŵr creulon, Matholwch, brenin Iwerddon.

Ond torrodd rhyfel allan rhwng y Cymry a'r Gwyddelod a chafodd pawb ond saith o'r rhyfelwyr a Branwen eu lladd.

Cafodd hyd yn oed Bendigeidfran ei anafu'n ddifrifol yn ei ysgwydd gan saeth oedd wedi'i gwenwyno.

Ac yn awr Pen-nod 2 o'r chwedl chwithig:

Dwi'n marw, hogia bach. Torrwch fy mhen i ffwrdd ac ewch ag e 'nôl i Brydain. Ond cofiwch y cyngor yma . . .

O, cau dy ben wir, Bendigeidfran, neu alla i ddim ei dorri e i ffwrdd.

27

ÔL-NODYN NODEDIG

A ble roedd y menywod tra oedd y dynion wrthi'n rhyfela a brwydro, lladd a llofruddio? Na, nid gartre'n coginio cocos Celtaidd a bara brith Brythonaidd, ond ar faes y gad yn ymladd hefyd. Roedden nhw'n joio gweld gwaed yn tasgu a phennau'n rholio. Darllenwch ragor (os oes digon o gyts gennych chi) am y menywod melltigedig hyn ar dudalennau 63–70.

CHREDWCH CHI BYTH! CREFYDD Y CELTIAID CYNHENNUS

Maen nhw'n dweud na allwch chi ddeall y Celtiaid Cynhennus heb wybod am eu crefydd nhw. Ond mae'n anodd credu beth roedd y Celtiaid Cynhennus yn ei gredu. Ond beth allwn ni ei gredu? Credwch chi fi, bydd hi'n her i chi benderfynu: Ai **GWIR** neu **GAU**?

(i) Roedd y Celtiaid yn meddwl bod y rhif dau yn rhif sanctaidd. Dim ond i ddau (un, dau) roedden nhw'n gallu cyfrif. Cofiwch yr hen gân Geltaidd:

Dau Gelt bach yn mynd i'r coed,
Sandalau newydd am bob troed . . .

GWIR neu **GAU**?

(ii) Roedd gan y Celtiaid lawer o dduwiau gwahanol. Roedden nhw'n addoli coed, adar, anifeiliaid, afonydd a llawer o bethau eraill o'r byd o'u cwmpas (hyd yn oed llygod mawr a defaid (Me-ee)).

GWIR neu **GAU**?

(iii) Roedd y Celtiaid yn credu bod pobl oedd yn marw yn gallu cael eu hail-eni (byddai'r byd yn llawn iawn!) a bod rhyfelwyr oedd yn cael eu taflu yn farw, yng nghanol brwydr, i bair hud yn dod yn ôl yn fyw. Syrpréis, syrpréis!

GWIR neu **GAU**?

(iv) Roedd y Celtiaid yn credu bod coed Nadolig yn lwcus iawn a bydden nhw'n eu haddurno yn bert gyda goleuadau llachar ac yn rhoi derwydd i ddisgleirio ar y top.

GWIR neu **GAU**?

(v) Roedd y Celtiaid yn hoffi tarten uchelwydd (planhigyn ag aeron gwyn) i frecwast, i ginio, i de, ac i swper.

GWIR neu **GAU**?

(vi) Pan fyddai argyfwng – fel pan oedd llengoedd
lloerig o filwyr Rhufeinig ar fin ymosod arnyn
nhw – byddai'r Celtiaid yn rhedeg at y llyn agosaf
ac yn taflu pob math o offer metel gwerthfawr i
mewn iddo – cleddyf neu darian (dyna wirion –
beth fyddai ganddyn nhw i ymladd ag e wedyn?);
pair (ond sut allan nhw wneud cawl Celtaidd
hebddo?); neu offer ceffylau (Gee, dyna dwp!).

GWIR neu GAU?

ATEBION:

(i) **Gau, Gau, Gau!** Roedden nhw'n gallu cyfrif i DRI
(un, dau, tri) a dyma'u hoff rif nhw. Roedd ganddyn nhw
restr ddidiwedd o dri o bethau diddorol. Credwch neu
beidio mae un hanesydd haerllug wedi ysgrifennu llyfr
600 tudalen yn rhestru'r trioedd hyn – trist iawn!

Dysgwch ambell un a byddwch yn ffefryn ffantastig
gyda'ch athrawon Cymraeg:

Tri pheth nad yw'n bosibl eu stopio yn hawdd: llifogydd,
saeth o fwa saeth a thafod ffŵl. (Felly bydd hi'n anodd
dros ben stopio'ch ffŵl o athro Hanes rhag siarad heb
ddefnyddio siswrn neu roi tâp dros ei geg.)

NEU:
Tri pheth sy'n anodd nabod,
Dyn, derwen a diwrnod,
Y dydd yn hir, y pren yn gau
A dyn yn ddauwynebog!

Dim yn deall hwn? Gofynnwch i'ch athrawon Cymraeg.
Gobeithio y byddan nhw'n ei ddeall.

Ac wrth gwrs 'Tri chynnig i Gymro (a Chymraes)'.
Ac ar ben hyn, roedden nhw'n hoffi defnyddio siâp
trisgel drwy'r amser yn eu celf hyfryd hefyd.

(ii) **GWIR** iawn. Enw duwies y ceffylau oedd Epona. Lleu oedd duw goleuni. Taranis oedd duw mellt a tharanau (anodd credu!) a'r duw corniog (neu Cern-unnos) oedd un o'r rhai mwyaf poblogaidd.

Nage, nage, dim fi yw'r duw corniog. Aw!!

(iii) **GWIR** bob gair. Mae hanes pair dadeni fel hyn yn y Mabinogi (ond mai chwedl ydy hi). Pan oedd y Cymry a'r Gwyddelod yn brwydro yn Iwerddon ar ôl cam-drin Branwen, roedd y Gwyddelod yn brysur yn dod â'u milwyr marw yn fyw trwy eu taflu i'r pair dadeni. Ond neidiodd Efnisien, brawd cas Branwen, i'r pair a'i dorri'n deilchion (yr hen sinach sbeitlyd yn difetha'r hwyl!).

(iv) **GAU**. Doedd neb yn dathlu'r Nadolig nac yn poeni nad oedd lle yn y llety ym Methlehem yn Oes y Celtiaid. Y dderwen oedd eu coeden arbennig nhw a dyma, efallai, sut cafodd y Derwyddon eu henw.

(v) **GAU**. Mae aeron uchelwydd yn beryglus iawn, iawn. Maen nhw'n wenwynig ac os na fyddai'r Celtiaid yn marw ar unwaith bydden nhw'n siŵr o gael bola tost (neu boen bol) a dolur rhydd (ych-a-fi!). Ond pam roedd y derwyddon dwl yn hoffi casglu uchelwydd? Er mwyn cael lapswchan a chusanu derwyddesau del ond dwi oddi tano, siŵr o fod.

(vi) **GWIR**. Oedd wir. Mae casgliadau gwych o offer fel hyn wedi'u darganfod mewn llynnoedd yng Nghymru – Llyn Fawr yng Nghwm Rhondda a Llyn Cerrig Bach ar Ynys Môn. Weithiau mae'r offer wedi'i dorri'n bwrpasol. Yn Llyn Cerrig Bach roedd cleddyf wedi'i blygu yn ei hanner – fel na fyddai unrhyw un arall yn gallu ei ddefnyddio. Dyna sbeilyd, ynte? Presantau ac offrymau i'r duwiau oedd y rhain. Roedd y Celtiaid yn credu na fyddai'r duwiau'n eu helpu i ennill brwydr, lladd gelyn na'u helpu gyda'r cynhaeaf ar flwyddyn wael os na fydden nhw'n cael aberth o offer gwerthfawr fel hyn.

Gwyliau Gwych y Celtiaid Cynhennus

Petaech chi wedi byw yn Oes y Celtiaid dim tri gwyliau ysgol y flwyddyn i fynd i Langrannog neu Disneyworld fyddech chi wedi'i gael ond **PEDWAR**. Dyma eu calendr cyffrous nhw:

CHWEFROR 1: dathlu diwedd y gaeaf a dechrau'r haf (anghredadwy â'r tywydd mor oer!). Imbolc oedd enw'r Celtiaid Gwyddelig am yr ŵyl hon. Cyfle i yfed a bwyta llond bol.

1 Mai: Calan Mai i ddathlu'r haf, pan fyddai'r gwartheg yn cael eu gyrru i'r caeau agored i bori. Diolch byth – llai o ddom da o gwmpas y tai. Beltane oedd enw'r ŵyl hon, ar ôl enw duw'r haul – Belenos. Cyfle arall i fwyta ac yfed llond dau fol!

Ar Nos Galan Mai bydden nhw'n cynnau dwy goelcerth fawr ac yna'n gyrru'r gwartheg i redeg rhyngddyn nhw. Am ryw reswm, roedden nhw'n meddwl bod hyn yn glanhau a phuro'r gwartheg o afiechydon.

1 Awst: Cyfle i fynd i'r Eisteddfod Genedlaethol? Nage wir. Gŵyl i ddathlu'r cynhaeaf ac i ddiolch i Lleu, duw goleuni, neu Lughnasadh, am ofalu bod y cnydau wedi aeddfedu eto eleni. Cyfle arall i fwyta ac yfed llond tri bol!

1 Tachwedd: Calan Gaeaf – dechrau'r gaeaf a dechrau blwyddyn y Celtiaid Cynhennus. Gŵyl Samhain oedd ei henw a dyma gyfle arall eto fyth i yfed a bwyta – daw bola'n gefen, medden nhw. Ar Nos Galan Gaeaf bydden nhw'n adeiladu coelcerthi unwaith eto a byddai'r Celtiaid cynhyrfus yn rhedeg yn ôl ac ymlaen drwy'r mwg a'r lludw gan ddilyn cylchdro'r haul. Byddai rhai'n rhoi siâp croes ar garreg a'i thaflu i'r tân, yna'n dod yn ôl i chwilio amdani'r bore wedyn. Os bydden nhw'n cael hyd iddi – dyna lwc dda (cyfle i lapswchan gyda derwyddes dan uchelwydd efallai) ond os na – anlwc arswydus (marw o leiaf).

Ar Nos Galan Gaeaf roedd y Celtiaid yn meddwl bod y ffin rhwng y byw a'r marw'n diflannu a bod ysbrydion fel yr Hwch Ddu Gota (Hwch-a-fi!) a'r Bwci Bo (Bw!) yn cuddio ym mhob cornel ac yn barod i neidio allan i godi ofn arnoch chi (peidiwch ag edrych y tu ôl i chi!).

Y Gŵr Gwiail

Roedd Nos Galan Gaeaf yn noson nerfus iawn i bob troseddwr trychinebus a charcharor Celtaidd. Dyma pryd y bydden nhw'n cael eu cosbi a'u haberthu'n fyw yn y gŵr gwiail dychrynllyd! Bydden nhw'n gwneud delw fawr o wiail wedi'u plethu fel basged ar gyfer yr achlysur ardderchog, ac yna'n casglu digon o droseddwyr a charcharorion i'w llenwi. Os na fyddai digon o droseddwyr gallech chi daflu ambell fochyn daear neu lwynog i mewn i'r fasged hefyd.

Nawr, atebwch eich gwahoddiad (os nad ydych chi'n ormod o lwfrgi) a dewch draw i'r digwyddiad dramatig a diddorol hwn yn y calendr Celtaidd.

Mae Derwyddon y Celtiaid cythryblus yn estyn

GWAHODDIAD GWYCH

i chi (ysgrifennwch eich enw yma)

_____

i noson llosgi'r gŵr gwiail ar Noson Galan Gaeaf
(y tân i'w gynnau am hanner nos).
Dewch â'ch carcharorion a'ch troseddwyr drwg i'w llosgi'n fyw.
Croeso cynnes (iawn) i bawb*

Dyw hyn ddim yn deg – dim ond llosgi'r tost wnes i!

* Un rhybudd tanllyd – dim ond Rhufeiniaid Rhyfygus fel Iŵl Cesar a'r hanesydd haerllug, Strabo'r strab, sydd wedi sôn am yr arfer arswydus hwn ac rydyn ni i gyd yn gwybod eu bod nhw'n hoffi rhaffu celwyddau am eu gelynion galluog, y Celtiaid. Pan gafodd y ffilm *The Wicker Man* ei gwneud am yr arfer yma yn 1974, roedd y gynulleidfa'n rhy ofnus i fynd adre o'r sinema ar y diwedd!

Ar Ddydd Calan Gaeaf ei hun byddai lladdfa fawr arall. Dyma pryd y byddai'r anifeiliaid oedd ddim yn cael eu cadw dros y gaeaf yn cael eu lladd neu'n cael eu tachweddu (gair clyfar iawn – fydd hyd yn oed eich athro Cymraeg ddim wedi clywed hwn o'r blaen). Dyna pam mai dyma'r enw am ein mis Tachwedd ni.

Tachweddwch nhw! Tachweddwch nhw!

MEDI

Ti yn y mis anghywir!

Ar ôl lladd digon o anifeiliaid byddai'r Celtiaid yn gwahodd eu ffrindiau i rannu gwledd gigog odidog gyda nhw. A bydden nhw'n taflu'r perfeddion (yr ymennydd, yr iau/yr afu, y galon, y stumog, yr ysgyfaint, y perfedd . . . ac unrhyw ddarn ych a fi arall) i'r bobl dlawd.

Na fi. Mae hi'n berfedd moch yma!

Alla i ddim stumogi rhagor o hwn.

Diwrnod Diddorol ym Mywyd Derwydd Difrifol

Petai papurau dydd Sul i'w cael yn y flwyddyn OC 79, stori fel hon fyddai ar dudalen ôl y cylchgrawn, siŵr o fod.

Yr wythnos hon, dewch gyda ni i Ynys Môn i gwrdd â Derwyn y derwydd difrifol a chlywed sut mae e'n mynd i dreulio'i ddiwrnod:

Codi am chwech o'r gloch y bore wrth i'r wawr dorri. Mae heddiw yn ddiwrnod PWYSIG, PWYSIG i ni'r derwyddon dramatig. Felly, dim amser i gael bath – dim ond dwywaith y flwyddyn bydda i'n cael bath, beth bynnag (y derwydd drewllyd!). Gwisgo fy ffrog wen hir, sandalau am fy nhraed a thorch o ddail llawryf am fy mhen. Dwi ddim yn cofio pryd gweles i'n llun mewn drych ddiwetha'. Dim ond edrych mewn pwll o ddŵr fydda i ac mae'n rhaid cyfaddef bod golwg fel drychiolaeth arna i. Bwyta brecwast o fara gwenith llawn graean mân. Does bron dim dannedd ar ôl gen i.

Dwi wedi danto ar y dannedd yma!

Mynd yn syth i ysgol ysglyfaethus y derwyddon bach. Mae'r ysgol yn llawn dop ers i'r Rhufeiniaid ymosod arnon ni mor greulon yn OC 60. Yn sydyn, mae holl bobl ifanc y wlad eisiau ymuno â ni'r derwyddon difrifol ar Ynys Môn. Maen nhw wedi clywed nad ydy derwyddon yn gorfod ymuno â rhyfelwyr rhyfeddol y Celtiaid Cynhennus, nac yn gorfod talu trethi. Pam ydych chi'n meddwl ymunes i? Achos mod i'n gachgi cybyddlyd, wrth gwrs!

Yn yr ysgol dwi'n gorfod dysgu'r derwyddon bach sut i ymarfer cofio popeth ar eu cof. Dydyn ni'r derwyddon ddim yn ysgrifennu unrhyw beth i lawr – dim fel y Rhufeiniaid Rhyfygus. Dwi'n meddwl bod darllen ac ysgrifennu'n wastraff amser (peidiwch dangos y frawddeg yna i'ch athrawon anobeithiol). Yn lle hynny rhaid ymarfer cofio popeth mewn rhigymau neu trwy eu cyfrif bob yn dri. Dyma bennill bach (gwych) gyfansoddes i i helpu'r disgyblion didoreth, ymarfer cofio. Dyna lwcus mod i'n ei gofio:

> Fe ddylech chi joio ymarfer,
> Fe ddylech wneud hynny drwy'r amser,
> Wrth fwyta a chysgu,
> Aberthu a charu,
> Ac ar y tŷ bach – bydd e'n bleser!

Mae'n cymryd ugain mlynedd i dderwydd bach ddysgu bod yn dderwydd go iawn.

'Nôl â thi i'r ysgol – dim ond am 19½ o flynyddoedd rwyt ti wedi bod yn ddisgybl yma!

Ar ôl awr ddiflas yn yr ysgol ysglyfaethus, brysio i'r llannerch sanctaidd yn y goedwig i weld beth sydd gan yr Archdderwydd ar ein cyfer heddiw. Dim rhagor o dorri uchelwydd, gobeithio. Dwi wedi cael hen ddigon ar ddringo coed i dorri uchelwydd o'r goeden dderwen gyda chryman aur a'i ddal e mewn lliain gwyn. Am ryw reswm dwi bob amser o dan y goeden anghywir. Mae'r Archdderwydd wedi bygwth y bydd yn rhaid i mi fwyta'r uchelwydd os digwyddith hyn unwaith eto (poen bol – dolur rhydd – marw. Na, dim diolch!).

Wps, dan y goeden anghywir – ETO!

Ond na, diolch byth, aberthu yw'r dasg drasig heddiw. Dwi wrth fy modd yn aberthu rhyw garcharor gwarthus neu gaethferch gwynfanllyd. Ac mae'n syniad da rhoi aeron uchelwydd iddyn nhw i'w bwyta cyn eu lladd hefyd. Gan amla' maen nhw mewn cymaint o boen dydyn nhw ddim yn teimlo brath y gyllell.

Fi sy'n arwain yr aberthu heddiw (WAW!) ac mae'r offrwm ofnus yn barod. Dwi'n dal y waywffon, dwi'n ei hyrddio (SBLAT!). Diolch byth wnes i ddim methu

neu fi fyddai'r aberth nesaf. Wrth i'r aberth arswydus
syrthio rhaid ei wylio'n ofalus iawn er mwyn darllen ei
symudiadau. Maen nhw'n dweud wrthon ni'r Derwyddon
deallus beth fydd yn digwydd yn y dyfodol. Mm mm . . .
mae'n troi a throsi – ydy hynny'n golygu bod y
Rhufeiniaid ar fin ymosod y prynhawn 'ma? Os felly,
ry'ch chi wedi dewis diwrnod diddorol i fod gyda mi,
Derwyn, y derwydd difrifol.

A nawr, tynnu'r ymysgaroedd – slwtsh, slwtsh – gwaed
ym mhobman.

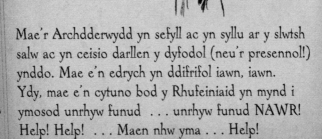

Dyma ein haberth,
O dduwiau. Allwch chi
ddweud wrthon ni pryd fydd
y frwydr nesa?

Does dim calon gyda
ni i ddweud wrthoch chi,
sori!

Mae'r Archdderwydd yn sefyll ac yn syllu ar y slwtsh
salw ac yn ceisio darllen y dyfodol (neu'r presennol!)
ynddo. Mae e'n edrych yn ddifrifol iawn, iawn.
Ydy, mae e'n cytuno bod y Rhufeiniaid yn mynd i
ymosod unrhyw funud . . . unrhyw funud NAWR!
Help! Help! . . . Maen nhw yma . . . Help!

Yn anffodus, roedd hi'n amhosibl gorffen yr erthygl enbyd hon. Roedd y Rhufeiniaid Rhyfygus, dan arweiniad y cadfridog creulon Agricola★ (nid brawd Coca Cola), wedi cyrraedd ac yn benderfynol o ddifa pob derwydd ar Ynys Môn. A sut lwyddodd y dyn dan-din? Defnyddiodd e filwyr lleol (Moch Môn, Cofis Caernarfon a Bwganod Bangor) i'w helpu i groesi afon Menai. Roedd y Celtiaid lleol yn dda am nofio, medden nhw, ac wrth gwrs, doedd Agricola ddim yn poeni o gwbl a oedden nhw'n boddi. Arweinion nhw fe a'i fyddin at y llannerch sanctaidd lle roedd y derwyddon yn addoli ac yn aberthu.

Dylet ti fod wedi dweud wrtho fe, Agricola, mai am chwarae pêl foli ar y traeth enillon ni'r Gêmau Olympaidd, nid am nofio!

Ac ar ôl cyrraedd bu cyflafan enfawr (***BANG! SBLAT! AW!***) a dyna ddiwedd y derwyddon diflas – unwaith ac am byth, Amen.

★ Gyda llaw, mae'r stori sobreiddiol yma'n cael ei hadrodd gan neb llai (na mwy) na nai Agricola, yr hanesydd haerllug **Cornel**ius Tacitus (roedd e'n eistedd mewn cornel i ysgrifennu bob amser). Roedd e'n addoli Wncwl Agricola – felly peidiwch â llyncu'r stori heb binsiad arall o halen.

FFAITH ANFFODUS:

Ar ôl gorffen aberthu'r aberth arswydus roedd Derwyn
y derwydd diflas wedi anghofio taflu'r waywffon
sanctaidd i'r llyn yn Llyn Cerrig Bach i blesio'r duwiau
a chael eu help yn erbyn y Rhufeiniaid. Ac roedd y
duwiau Celtaidd yn grac iawn, iawn, iawn – rydych
chi'n gwybod gweddill y stori.

BYWYD BOB DYDD Y CELTIAID CYNHENNUS

Pawb â'i Le

Yn oes y Celtiaid Cynhennus roedd pawb yn gwybod pwy oedd pwy a ble roedd eu lle nhw yn y gymdeithas a doedd NEB yn gallu symud i fyny nac i lawr o fewn y drefn honno. Roedd hi fel eich ysgol chi heddiw a dweud y gwir – y Pennaeth ar y top, yr athrawon a'r swyddogion eraill yn y canol a chi'r disgyblion truenus ar y gwaelod yn gwneud y gwaith i gyd.

Fel hyn roedd hi'n gweithio (neu ddim yn gweithio!):

Y Brenin a'r Frenhines – ni yw'r BOSYS (peidiwch *beiddio'n* herio ni!)

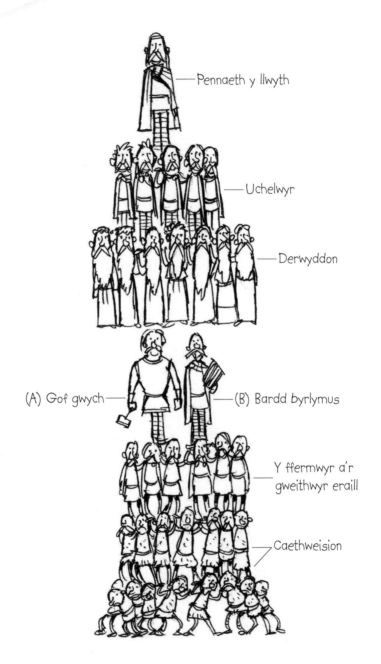

Pennaeth y llwyth

Uchelwyr

Derwyddon

(A) Gof gwych

(B) Bardd byrlymus

Y ffermwyr a'r gweithwyr eraill

Caethweision

46

Pwy oedd pwy
a ble oedd eu lle nhw

Y Brenin a'r Frenhines, wrth gwrs,

wedyn Pennaeth y llwyth a'r teulu –
nhw yw'r BOSYS bach

Yr Uchelwyr –
y bobl gyfoethog a'r rhyfelwyr rhyfeddol
(maen nhw'n meddwl eu bod NHW'N bwysig hefyd –
nhw yw'r BOSYS bychain bach)

Y Derwyddon deallus
(Dylen NHW fod ar yr un lefel â'r Uchelwyr achos
NHW sy'n siarad â'r duwiau)

Y gof gwych (A); a'r bardd byrlymus (B):
((A) Gan mai fe'r gof sy'n trin haearn i wneud cleddyfau
ac offer o bob math mae'n amlwg ei fod yn grefftwr
pwysig pwysig.
(B) Fel bardd mae disgwyl iddo fe gyfansoddi cerddi a
storïau gwych am arwyr, brwydrau a hela, felly mae e'n
bwysig pwysig hefyd.)

Nhw yw'r ffermwyr a'r gweithwyr eraill
(Nhw sy'n gwneud y rhan fwyaf o'r gwaith caled.)

Ond mae un grŵp gwirion ar y gwaelod i gyd
Yn gwneud y tasgau mwyaf diflas yn y byd.

(fel cloddio am aur yng nghrombil y ddaear
neu glirio sbwriel y fryngaer)
Mae miloedd ohonon nhw'r caethweision dibwys
(Efallai byddan nhw'n cael eu llosgi yn aberth
i'r duwiau fory!)

Ffaith Ffantastig

Dydych chi ddim yn credu bod y Celtiaid Cynhennus yn cadw caethweision truenus?

Wel, meddyliwch eto – fe gawson nhw hyd i gadwyn i glymu gyddfau pum caethwas at ei gilydd yn Llyn Cerrig Bach ar Ynys Môn yn 1942.

Doedd y gweithwyr ar y safle ddim yn sylweddoli mai'r Celtiaid oedd wedi taflu'r gadwyn i'r llyn (fel presant bach pert i gadw'r duwiau'n hapus, mae'n debyg). Roedd y gadwyn mor gryf, buon nhw'n ei defnyddio i dynnu pethau trwm allan o'r gors y tu ôl i dractor am flynyddoedd!

Hei, FI pia honna!

Duwcs annwyl! Ond mae hi wedi bod yn y dŵr ers tua 2000 o flynyddoedd!

Cartrefi Campus

Petaech chi'n asiant tai, yn gwerthu a phrynu tai yn oes y Celtiaid Cynhennus, mae'n siŵr mai fel hyn y byddech chi wedi mynd ati.

[Un cliw call: cofiwch mai gwerthu'r tŷ yw'r nod ac felly gallwch ymffrostio, gorliwio a dweud cymaint o gelwydd ag ydych chi eisiau amdano.]

AR WERTH

Cartrefle
Rhif 3 (rhif hudol) Bryngaer Garnedd Goch, Tir Llwyth yr Ordovices, Canolbarth Cymru

Lleoliad: Ar ben bryn bril, hyfryd yn heulwen yr haf (peidiwch â sôn am stormydd gwynt a glaw'r gaeaf), gyda golygfa odidog dros y cwm. Wedi'i amddiffyn yn wych gan ffosydd a waliau pridd (dim gair am y ffaith fod llwyth y Deceangli wedi ymosod y llynedd ac wedi lladd hanner y bobl yn y fryngaer).

Y tu allan: Mae popeth yn y cwt yma'n gynaliadwy. Sylwch ar y siâp crwn syml (ffantastig o ffasiynol). Yna, sylwch ar y muriau cadarn o estyll derw â gwiail wedi'u plethu yn ôl a mlaen trwyddyn nhw a'u plastro â dwb – ffordd effeithiol iawn o arbed ynni. Does dim ffenestri (ffordd arall o arbed ynni ac, wrth gwrs, fydd dim angen eu glanhau).

Sut i wneud dwb da
Bydd angen – 15 tunnell (1,000 cilogram) o glai
yr un faint o ddom da (tail gwartheg)

Dull
1. Cymysgwch y clai a'r dom da yn dda. Gallwch ddefnyddio eich traed (slwtsh slwtsh!)
2. Yna, taflwch y cymysgedd cachlyd at y gwiail â'ch holl nerth nes ei fod yn glynu ato. Os ydych chi'n dipyn o gachgi gallwch adael y gwaith drewllyd yma i'r caethweision. Byddwch wedi gorffen mynd o gwmpas y tŷ crwn mewn mis (os na ddaw glaw trwm i droi'r cyfan yn llaca caca, ynte).
3. Ar ôl iddo sychu yn yr haf bydd y dwb fel cacen galed.

- Sylwch hefyd ar y to hyfryd o frwyn (gobeithio na sylwan nhw fod dim simnai yn y to a bod llygod a phryfed di-ben-draw yn byw mewn nythod bach del ynddo fe). A sylwch ar yr addurn ardderchog o benglog pennaeth y llwyth drws nesa yn hongian wrth y drws.

Y tu mewn: Drws isel – Wps, gwyliwch eich pen! Rhy hwyr! Fydd eich llygaid a'ch trwyn ddim munud yn dod i arfer â'r tywyllwch dudew a'r mwg tew o'r lle tân.

> Dau ystlum del yn hongian fry
> Wyneb i waered, yn gynnes a chlyd,
> Ond mae'r mwg o'r lle tân yn drwchus a chry',
> Ac yn mygu a thagu'r 'stlumod del i gyd!

- Cynllun agored a phawb yn coginio, byw, cysgu a chwarae yn yr un stafell. (Rhannu stafell gyda'ch rhieni a gorfod dioddef eich tad a'ch mam yn chwyrnu drwy'r nos? Na, dim diolch yn fawr iawn!)

- Lle i chwech (chwe chorrach bach siŵr o fod); ond dim lle chwech (Ha! Ha! Jôc sâl! – bydd yn rhaid defnyddio **OC** – (ochr clawdd) – eto). Yn anffodus, does dim gardd, felly bydd yn rhaid i chi rannu'r clawdd gyda phawb arall.

- Mae'r perchnogion presennol yn barod i werthu eu dodrefn hefyd – pentwr o rug a rhedyn ar gyfer gwelyau i'r plant (gwyliwch y pryfetach!) a phlanciau pren a hen grwyn anifeiliaid yn welyau i'r oedolion (gwyliwch y chwain).

- Am bris ychwanegol fe gewch y lle tân crand a'r tân ei hun hefyd. (Roedd y Celtiaid yn credu'n gryf y byddai anlwc anferthol yn digwydd petai'r tân ar yr aelwyd yn diffodd.)

- Does dim bwrdd na chadeiriau ond mae ffrâm nyddu a breuan (i falu grawn) ar gyfer y wraig (y menywod oedd yn gwneud y gwaith pwysig i gyd – y ffermio, gofalu am yr anifeiliaid, coginio bwyd, gwneud dillad – ydw i wedi profi'r pwynt?).

A dyna ni. Byddwch yn siŵr o werthu'r tŷ mewn chwinciad chwannen.

Welsoch chi erioed ffasiwn beth?

Naddo, mae'n siŵr. Roedd y Celtiaid Cynhennus yn gwybod yn iawn sut i wisgo yn y ffasiwn ddiweddaraf i greu argraff arbennig iawn.

Gwallt anhygoel. Fel mwng ceffyl. Bydden nhw'n golchi'u gwallt mewn calch nes ei fod yn stiff fel pocer. Yna'n ei dynnu'n ôl yn dynn a'i godi'n bigau uchel ar dop y pen nes ei fod yn edrych fel pync-rociwr peryglus.*

Torch aur, arian neu haearn – nid i dagu'r gwisgwr ond i gadw ysbrydion drwg draw (Ta ta, Bwci Bo!)***

Mwstás hir yn hongian i lawr dros y geg. Byddai bwyd yn llechu yn hwn o un pryd i'r llall**

Barf fach dwt

Tlws tan gamp i ddal y clogyn yn ei le

Breichled bert

Tiwnig wlân fer

Trowsus llydan lliwgar – roedden nhw'n eu galw nhw'n 'braccae'****

Gwallt hir cyrliog anniben

Dim mwstás

Dim barf

Clogyn gwlân lliwgar streipog neu mewn patrwm siec, o ddefnydd cynnes yn y gaeaf a thenau yn yr haf (call iawn)!

Esgidiau lledr ysgafn neu sandalau yn yr haf

Ffrog wlân hir, a gwregys am y canol

Nodiadau Neis

*

**Ych a fi afiach! Bwyd yn llechu yn y mwstás.

***Yn ôl Posidonius, hanesydd arall o Wlad Groeg, roedd y Celtiaid yn hoffi tlysau tlws:

**** Cafodd y Rhufeiniaid Rhyfygus sioc i weld trowsusau'r Celtiaid Cynhennus. Ffrogiau byr fydden nhw'n eu gwisgo gan amlaf i dorheulo yn yr haul ar y traeth yn yr Eidal. Ond, efallai fod trowsusau gwlân yr syniad gwell yng nghanol gwynt a glaw Cymru.

Dewch i'r Wledd Wych!

Ddowch chi byth i 'nabod y Celtiaid Cynhennus yn iawn os na chewch chi gyfle i ymuno â nhw mewn gwledd Geltaidd flasus. Gwisgwch eich dillad a'ch tlysau gorau a mwynhewch y gloddesta a'r diota. Peidiwch â phoeni, fydd dim cig ysgyfarnog, ffowls na gŵydd ar y fwydlen – doedd dim hawl gan y Celtiaid i fwyta'r rhain (meddai Iŵl Cesar eto – os gallwch chi gredu gair o'i geg e).

Dyma'r fwydlen fawreddog:

Aw! Peidiwch brifo'ch tafod wrth eu bwyta. Aw! Dilynwch y rysáit!

Y prif arwr oedd yn cael y darn gorau o'r cig. Iym! Iym!

I gael lwc dda wrth goginio hwn, canwch y gân giami a ffefryn pob côr meibion mawreddog: 'Oes gafr eto? Oes heb ei godro . . .'

Y FWYDLEN FAWREDDOG

Cwrs 1:
Cawl dail poethion

Prif gwrs:
Baedd gwyllt gyda garlleg gwyllt
neu
Cig gafr heb ei godro a sbigoglys

Pwdin:
Cnau cyll, mwyar duon ac eirin surion bach

Digon o win HEB ei deneuo â dŵr

Gobeithio y gallwch chi ddal eich baedd gwyllt yn gyntaf. Peidiwch trio hela'r garlleg gwyllt. Bydd yn gwneud i'ch anadl ddrewi ond yn cadw gelynion gwyllt i ffwrdd.

Joiwch! Roedd y Rhufeiniaid yn meddwl bod y Celtiaid yn ddwl iawn wrth beidio rhoi dŵr ar ben gwin i'w deneuo OND roedd y Celtiaid yn gwybod beth oedd orau! Hic!

54

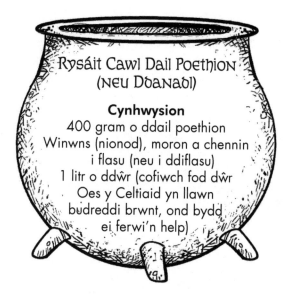

Rysáit Cawl Dail Poethion (neu Ddanadl)

Cynhwysion
400 gram o ddail poethion
Winwns (nionod), moron a chennin
i flasu (neu i ddiflasu)
1 litr o ddŵr (cofiwch fod dŵr
Oes y Celtiaid yn llawn
budreddi brwnt, ond bydd
ei ferwi'n help)

Dull:
1. Gwisgwch fenig trwchus i fyny at eich penelinoedd i gasglu'r dail poethion neu bydd gyda chi frech goch frawychus yn llosgi a phigo a llosgi a phigo am oriau (Aw! Aw!).
2. Golchwch y dail ifanc gwyrdd yn dda.
3. Toddwch ychydig o saim cig moch (o'r baedd gwyllt) mewn crochan mawr a choginiwch y cennin, y moron a'r winwns yn araf. Ychwanegwch y dail poethion a'r dŵr.
4. Berwch y cymysgedd yn dda am tua hanner awr dros y tân coed.
5. Bwytewch a mwynhewch.

Cwestiwn cyffrous am ddail poethion

Pam fod dail poethion yn llosgi a phigo?
 (i) I gadw anifeiliaid rhag eu bwyta
 (ii) Am eu bod nhw'n hen blanhigion diflas a chas

(iii) I helpu'r Rhufeiniaid Rhyfygus i ddioddef tywydd oer Cymru. Bydden nhw'n chwipio'u hunain â dail poethion a byddai hyn yn gwneud iddyn nhw dasgu a strancio mewn poen i'w cadw yn gynnes. (Pam nad oedden nhw'n defnyddio potel ddŵr poeth?)

ATEB:
(i) Er bod defaid a geifr yn ddigon clyfar i beidio llosgi'u tafodau trwy fwyta dail poethion, OND mae (iii) yn wir hefyd. Roedd y Rhufeiniaid yn gallu bod yn dwp iawn weithiau!

Pam na wisgi di drowsus teidi fel fi?

Aw! Pam mae'n rhaid i fi fod mor bigog?

Ac ar ôl yfed a bwyta eich gwala a'ch gweddill, beth am gêm fach greulon gyfeillgar cyn troi am adre?

I CHWARAE BROCH YNG NGHOD
(hen enw am fochyn daear mewn cwdyn)

Bydd angen:
• Mochyn daear crac iawn
• Cwdyn cryf

- Ffon gref yr un
- Rhwng 2 a 6 chwaraewr (peidiwch â chael mwy na hyn, neu chewch chi ddim cyfle i guro'r mochyn daear mor aml)

Fydd dim angen:
- Rheolau
- Dyfarnwr

1. Ewch allan yn y nos i ddal eich mochyn daear.
2. Byddwch yn ofalus, mae'n anifail cryf a chas pan fydd e wedi ei gornelu – tybed pam? Clymwch e mewn cwdyn cryf.

Rwyt ti'n gwneud traed moch o ddal y mochyn daear yna!

3. Yna gall pob dyn yn y wledd (dim y menywod, maen nhw'n rhy gall) fwrw, ffusto a churo'r mochyn daear, druan, nes ei fod yn gwichian a rhochian, yn sgrechian a chrio dros bob man a'r cwdyn yn rholio o gwmpas y lle.

Dyna gêm fochynnaidd. Beth oedd y sbort? Ble roedd y sbri?

PORTREAD PEN·OD·OL O ARWR ARTEITHIOL

Mae athrawon sy'n hoffi hanes yn dwlu, dotio a cholli'u pennau'n llwyr wrth adrodd stori drist yr arwr arteithiol hwn. Gobeithio na fyddwch chi'n llefain y glaw wrth ddarllen yr hanes neu byddwch yn difetha'ch copi campus o *Hanes Atgas*!

ENW: Mr Lindow II; ond yn anghwrtais iawn mae'r Saeson yn ei alw e'n Pete Marsh, jôc jocôs o'r geiriau *peat* (mawn) a *marsh* (cors) oherwydd mai mewn cors fawnog y cawson nhw hyd iddo fe. Ha! Ha!

Daethon nhw o hyd i Mrs Lindow I, cymydog Mr Lindow II, yn 1983. Dim ond darn o benglog, un llygad ac ychydig o wallt oedd ar ôl ohoni hi, druan fach. Doedd yr heddlu ddim yn sylweddoli ei bod hi mor hen. A dweud y gwir, roedd hi tua 1750 oed ac yn byw yn OC 250! Ar y pryd roedd yr heddlu yn gwybod bod gwraig leol wedi diflannu ers 1960, ac roedd ei gŵr hi yn y carchar am drosedd arall.

Dwi'n cadw'n llygad arnat ti, boio!

Pan sonion nhw wrth y carcharor eu bod nhw wedi darganfod penglog menyw, sgrechiodd e, 'Dwi'n cyffesu. Fy ngwraig i yw hi! Fi laddodd hi – wir yr!'. A chafodd ei garcharu gan y llys er nad penglog ei wraig e oedd hi o gwbl, ond hen benglog Mrs Lindow I! Dylai e fod wedi cau ei geg!

CARTREF: Lindow Moss, Wilmslow, swydd Gaer (ocê, ocê, nid yng Nghymru mae Wilmslow ond Celtiaid oedd yn byw yn yr ardal yma cyn i'r Rhufeiniaid gyrraedd). Erbyn hyn mae'r hanner corff crychlyd wedi'i rewi a'i sychu ac mewn casyn gwydr yn yr Amgueddfa Brydeinig yn Llundain ac mae disgyblion ysgol yn cael eu gorfodi i fynd yno i'w weld e.

Jiw jiw, dim ond hanner dyn sydd yma. Dwi eisiau hanner y tâl mynediad yn ôl.

OEDRAN: Tua 26 oed pan fuodd e farw ond tua 1,900 mlwydd oed erbyn hyn!

GOLWG: Tua 1.68–1.73 metr o daldra; yn pwyso tua 60 cilogram.

Pen a chorff brown-ddu hyll iawn (sut fyddech chi'n edrych petaech chi wedi bod yn gorwedd mewn mawn am dros 1,900 o flynyddoedd?). Maen nhw'n meddwl eu bod nhw wedi darganfod ei ddwy goes e erbyn hyn hefyd. (Na, dwi ddim yn tynnu'ch coes chi!)

Roedd ganddo fe farf daclus, mwstás a locsyn clust (gwallt yn tyfu i lawr ei foch, dim blew yn tyfu o'i glustiau). Erbyn hyn maen nhw wedi gallu gwneud replica o'r pen – roedd e'n dipyn o bishyn.

Gwaith: Dim llawer – roedd ganddo fe ewinedd taclus a glân (felly doedd e ddim yn ffermwr – sori ffermwyr – na glöwr, oedd e?). Mae'n siŵr ei fod e'n un o'r crachach cyfoethog.

Celt pert

Hanes: Dydyn ni ddim yn gwybod llawer am sut roedd e wedi byw. OND mae llawer o bobl wedi bod yn pendroni ynglŷn â sut buodd e farw, a pham:

1. Andy Mould (enw da ar rywun gafodd hyd i gorff wedi pydru):

Ar 1 Awst 1984 ro'n i wrthi'n llwytho'r peiriant rhwygo mawn pan weles i rywbeth tebyg i ddarn o bren. Cydiais ynddo fe a'i daflu at fy ffrind Eddie Stack. BANG! Syrthiodd ar y llawr a thorri yn ei hanner a gwelon ni droed dyn yn syrthio allan! Waw – galwon ni'r heddlu ar unwaith.

2. Ditectif o Heddlu Caer:

Ro'n i'n gwybod ar unwaith fod rhywbeth amheus wedi digwydd (clyfar dros ben!). Roedd hi'n amlwg ei fod e wedi boddi yn y pwll mawn ond beth arall oedd wedi digwydd i'r creadur cynrhonllyd? Roedd wedi'i lofruddio, siŵr o fod, ond roedd y corff yn rhy ych-a-fi i ni'r Heddlu wneud dim ag e. Felly gofynnon ni i'r:

3. Archeolegydd anobeithiol:

Wel, dyma gyfle i ddod yn fyd-enwog! Cael hyd i gorff mewn cors. Cyn pen dim ces i afael ar weddill y corff a'r breichiau ond doedd dim sôn am y coesau (Mae'n rhaid eu bod nhw wedi rhedeg i ffwrdd!). Ond doedd gen i ddim cliw beth oedd wedi digwydd i'r boi bril. Felly gofynnes i am farn:

4. Patholegydd pathetig:

Ro'n i wrth fy modd i weld y corff cŵl yn fy labordy sgleiniog. A dyma fy nodiadau nodedig o'r archwiliad atgas:

• Sylwes i ei fod e'n noeth ond fod bandin o ffwr cadno am ei fraich (Ble roedd ei wisg nofio e? Ai bandin braich Celtaidd oedd y darn ffwr?).

• Yna, agores i ei stumog e. A beth weles i yno? Na, dim cyrri na hufen iâ ond bara wedi llosgi (doedd dim tostwyr da yn Oes y Celtiaid!) ac olion paill uchelwydd (cliw gwych fan hyn: ewch i dudalennau 31 a 41).

• Ar ei ben e edryches i nesa a gweld bod rhywun wedi:

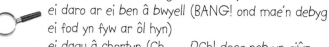

      ei daro ar ei ben â bwyell (BANG! ond mae'n debyg ei fod yn fyw ar ôl hyn)

      ei dagu â chortyn (Ch . . . OCh! does neb yn siŵr oedd e'n dal yn fyw wedyn)

 torri ei wddf (SLWTSH! a dyna fe – yn farw gorn!).

Roedd rhywun penderfynol iawn wedi bod wrthi.

- Ac i goroni'r cyfan roedd e wedi cael ei roi i orwedd wyneb i waered yn y mawn ac wedi boddi (YG . . . GLYG!).

Ar ôl pendroni a phendroni, roedd yn rhaid i fi gytuno â dedfryd druenus y Ditectif fod y dyn yma wedi cael ei lofruddio. Ond gan bwy a pham? Dim cliw, felly draw â ni at:

Hanesydd hunanbwysig:

 Fel rhywun sydd wedi astudio popeth am y Celtiaid Cynhennus dwi'n credu bod Mr Lindow II wedi cael ei arteithio (gair mawr am joio gwneud poen i rywun arall) cyn cael ei ladd mewn seremoni grefyddol greulon.

Gan bwy? Y derwyddon dramatig, wrth gwrs. Roedden nhw wrth eu bodd yn perfformio pantomeim fel hyn. Roedden nhw'n hoffi'r rhif TRI ac felly cafodd y truan bach ei ladd mewn tair ffordd – taro, tagu a thorri ei wddf (Twt twt! falle'u bod nhw'n hoffi'r llythyren 't' hefyd!). A chofiwch fod y derwyddon yn taflu cleddyfau a tharianau gwerthfawr i ddŵr i ennill ffafr y duwiau. Y tro yma taflon nhw gorff i'r dŵr yn eu lle (SBLASH!).

Pam? Fel aberth i'r duwiau dicllon oedd yn grac iawn fod y Rhufeiniaid Rhyfygus yn trechu'r Celtiaid Cynhennus.

Pryd? Pan oedd y Rhufeiniaid yn ymosod ar y Celtiaid, mae'n siŵr. Hoffwn i awgrymu i'r aberth ddigwydd pan oedd Paulinus yn ymosod ar y derwyddon ar Ynys Môn tua OC 60.

A dyna ni – y drosedd wedi'i datrys yn daclus. Does neb tebyg i haneswyr hunanbwysig am feddwl eu bod nhw'n gwybod y cyfan, oes e?

MENYWOD MELLTIGEDIG Y CELTIAID CYNHENNUS

Gwae chi os byddwch chi'n dod ar draws un o fenywod melltigedig y Celtiaid Cynhennus. Yn ôl y Rhufeiniaid Rhyfygus roedden nhw'n ymladd yn fwy melltigedig o ffyrnig na'r dynion hyd yn oed, ac mae'n hawdd credu hynny. Beth am roi marciau iddyn nhw a phenderfynu p'run oedd pencampwraig y gwragedd gwarthus hyn?

Rhif 1: Cartimandua, brenhines y Brigantes, llwyth Celtaidd mawr yng ngogledd Lloegr. Hen snichen snichlyd oedd hon. Pan fu'n rhaid i Caradog y Celt ffoi ar ôl colli brwydr yn erbyn y Rhufeiniaid yn OC 51, penderfynodd e ofyn am help Celt arall – Cartimandua. Ond, oedd hi'n ffrind iddo fe neu'n fwy o ffrind i'r Rhufeiniaid? Yn anffodus iawn i Caradog druan, dewisodd Cartimandua y Rhufeiniaid. Clymodd hi Caradog mewn cadwynau a'i roi yn garcharor i'r Rhufeiniaid.

63

Ac fe dalodd twyll y frenhines fradwrus yn dda iddi. Daeth yn gyfoethog iawn. Yna cafodd hi a'i gŵr, Venutius, ysgariad a dechreuodd e ymladd yn ei herbyn hi am dir y Brigantes. Unwaith eto daeth y Rhufeiniaid i'w helpu ac anfonon nhw leng cyfan o filwyr i wneud yn siŵr mai hi fyddai'n ennill.

Ond, doedd Venutius ddim yn barod i ildio. Yn OC 69 cododd e fyddin fawr o Geltiaid yn ei herbyn. Y tro yma doedd y Rhufeiniaid DDIM yn gallu ei helpu a chafodd Cartimandua ei threchu unwaith ac am byth. Eitha' peth â'r fenyw felltigedig!

Rhif 2: Menywod Melltigedig Môn. Nid un fenyw y tro yma ond byddin o fenywod melltigedig. Pan ymosododd Paulinus, cadfridog creulon y Rhufeiniaid, ar Ynys Môn yn OC 61, cafodd sioc ei fywyd. Roedd e'n barod am y rhyfelwyr Celtaidd ffyrnig, roedd e'n barod am y derwyddon dychrynllyd. Ond pwy oedd yno, yn aros amdano ar y traeth, yr ochr arall i afon Menai, ond cannoedd o fenywod mileinig.

Roedden nhw'n gwisgo ffrogiau du hir, hyll (doedd gwisgoedd nofio Celtaidd ddim

A! A! A! Peidiwch â mentro dod draw yma neu fe losgwn ni chi'n grimp! A! A! A! Ni pia'r ynys yma - ewch i ffwrdd rŵan! A! A! A!

yn ffasiynol iawn), roedd eu gwalltiau duon am ben eu dannedd ac roedden nhw'n cario ffaglau o dân! Drychiolaethau dychrynllyd! Ac yn waeth fyth roedden nhw'n sgrechian a nadu, yn gweiddi a chrio dros bob man.

Roedd e'n ddigon i yrru ias i lawr asgwrn cefn pob milwr Rhufeinig ofnus. Ond er gwaetha'r ddrama ddychrynllyd, trodd y cyfan yn drasiedi fawr. Perswadiodd Paulinus y milwyr i gau eu llygaid ac ymosod (Cymer honna! A honna!). Cyn pen dim roedd menywod melltigedig Môn wedi'u lladd neu wedi rhedeg i ffwrdd. (Ond, maen nhw'n dweud bod ambell fenyw felltigedig yn dal i fyw ar ynys Môn o hyd. Felly cymerwch ofal wrth groesi afon Menai. A! A! A!).

Rhif 3: Buddug, brenhines benigamp llwyth yr Iceni (bu farw OC 61). Mae hi'n haeddu baled bathetig iddi hi ei hun:

> A glywoch chi stori Buddug,
> Brenhines Geltaidd o fri,
> Llwyth yr Iceni rhyfelgar?
> Yn Norfolk y teyrnasai hi.
> Roedd hi'n fenyw dal, drawiadol
> A'i gwallt yn donnau hir, coch,
> Ei llygaid yn llym, herfeiddiol,
> A'i llais yn atsain fel cloch.

> Ond druan ohoni a'i merched –
> Bu farw'r brenin,[1] do'n wir,
> A rhuthrodd byddin Rhufain
> I anrheithio'i gwlad a'i thir.

[1] Prasutagus oedd ei enw e. Ar ei farwolaeth roedd y dyn twp wedi gadael ei deyrnas i'w wraig Buddug, i'w ferched ac i Ymerawdwr Rhufain. Oedd e ddim yn sylweddoli na fyddai siawns yn y byd gan ei wraig wirion yn erbyn holl nerth yr Ymerodraeth Rufeinig?

Fe lusgon nhw Buddug allan,
Fe dynnon nhw'i dillad i gyd,
Gan ei chwipio'n ddidrugaredd,
A threisio'i merched 'run pryd.

Yn awr roedd Buddug yn wallgo,
Roedd tân yn ei llygaid llym,
A chododd fyddin anferthol
O gan mil o filwyr llawn grym.
A draw yn Camulodunum[2]
Llosgon nhw'r dref i'r llawr,
A lladdwyd pob Rhufeiniwr
Oedd yn ffordd y fyddin fawr.

Bant â nhw wedyn am Lundain
Yn llawn o hwyl a sbri,
Ac yn ôl hanesydd o Rufain[3]
Roedd hi'n real jamborî.
Cafodd y merched yno'u trywanu
Ar bigau miniog cas, cyn
Torri eu bronnau ymaith
A'u gwnïo i'w cegau yn dynn.

Ond cyn i chi chwydu rhagor
Wrth ddarllen yr hanes yn llawn,
Cofiwch fod ein Siwpyrfenyw
Yn credu mai hi oedd yn iawn
Wrth amddiffyn ei gwlad a'i phobl
Yn erbyn 'r Ymerawdwr a'i lu,

[2] Colchester heddiw – tref yn Essex.
[3] Dio Cassius oedd ei enw – ond cofiwch fod y Rhufeiniaid yn elynion pennaf i'r Celtiaid ac felly'n barod iawn, iawn i ddweud pethau erchyll o gas amdanyn nhw. Mae e'n honni bod 70,000 wedi'u lladd (bron iawn digon i lenwi Stadiwm y Mileniwm, Caerdydd) gan fyddin ffyrnig y Celtiaid.

Ac y byddai'r Celtiaid ryw ddiwrnod
Yn diolch yn fawr iddi hi.

Achos diwedd trist a gafodd,
Ar ei thaith yn ôl yn yr hwyr,
Daeth byddin Paulinus[4] i'w herbyn
A'i threchu a'i choncro'n llwyr.
Beth ddigwyddodd i'r arwres?
Pwy a ŵyr? Pwy sy'n becso dam?
Bu farw, medd rhai, o wenwyn,
Buddug, Siwpyrfenyw a Mam!

Ffaith Ffrwydrol

Yn anffodus anghofiodd pawb am Buddug a'i
helyntion tan i Victoria (Buddug yn Saesneg) ddod yn
frenhines yn Oes Ofnadwy Victoria (pryd arall?!).
Dechreuon nhw ddathlu ei buddugoliaethau a chodi
cerfluniau ohoni yn Llundain a Chaerdydd. Ond does
dim cerfluniau o Suetonius Paulinus yn unman! Felly,
hip, hip, hwrê i Buddug, brenhines y Celtiaid!

Rhif 4: Arianrhod a'i melltithion melltigedig. Er mai
yn chwedlau'r Mabinogi mae hanes y fenyw fileinig
hon mae ei stori hi'n mynd yn ôl i oes y Celtiaid, siŵr
o fod. Yn ôl y chwedl rhoddodd Arianrhod felltith ar ei
mab ei hun. Dwedodd na fyddai e:

• byth yn cael enw iddo fe'i hun,
• byth yn cael cario arfau,
• yn cael gwraig go iawn – byth.

---

[4] Ie, ie, dyma'r un Suetonius Paulinus ag oedd wedi bod yn lladd a
llofruddio menywod melltigedig Môn.

Dwi ddim yn gwybod fy enw, dwi ddim yn cael cario cleddyf a does gen i ddim gwraig.

Paid poeni, bach – dim ond chwe mis oed wyt ti eto!

Druan â'r creadur bach.

Ond roedd gan y bachgen ewyrth o'r enw Wncwl Gwydion ac roedd e'n ddewin ardderchog. Aeth e â'r bachgen i Gaer Arianrhod wedi'i wisgo fel cobler. Tra oedd Arianrhod yn ffitio esgidiau newydd sylwodd ar y bachgen yn lladd dryw â charreg o ffon dafl (roedd lladd adar diniwed yn hobi hwylus gan fechgyn bach Celtaidd).

'Wel, wel,' meddai Arianrhod, 'mae gan y bachgen gwallt golau yna law grefftus.'

'Ha! Ha!' meddai Wncwl Gwydion, 'rwyt ti wedi rhoi enw ar dy fab. Lleu (golau) Llaw Gyffes fydd ei enw e'n awr.' (Chwedl yw hon cofiwch, felly peidiwch â disgwyl iddi wneud synnwyr!)

Rai blynyddoedd wedyn dychwelodd Gwydion a Lleu i Gaer Arianrhod wedi'u gwisgo fel beirdd. Yn ystod y nos, trwy hud, consuriodd Gwydion lynges o longau rhyfel. Pan welodd Arianrhod y llynges, rhoddodd arfau iddi i ymladd ar ei rhan. A dyna ail felltith Arianrhod wedi cael ei thorri.

Cyn bo hir roedd angen gwraig ar Lleu ond roedd y felltith yn dweud na allai e gael gwraig o gig a gwaed go iawn. Felly consuriodd Gwydion wraig o flodau iddo a dyfalwch beth oedd ei henw . . . Ie, Blodeuwedd!

Haia, blodyn!

A dyna ddiwedd ar felltithion melltigedig Arianrhod – y fam o uffern!

Rhif 5: Ceridwen y ddewines ddiddorol. Mam arall o uffern! A chymeriad arall o fyd chwedlau'r Celtiaid mae'n debyg. Yn ôl y stori roedd gan Ceridwen ddau blentyn – merch bert o'r enw Creirwy, a mab a oedd yn hyll fel pechod, o'r enw Morfran. Gan ei fod e mor hyll ceisiodd Ceridwen roi swyn arno i'w wneud yn ddoeth a chlyfar. Roedd yn rhaid berwi'r swyn mewn pair hud am flwyddyn a diwrnod. Byddai tri dropyn cyntaf yr hud swynol yn gwneud Morfran yn ddoeth ond byddai'r gweddill yn wenwyn iddo.

Gwion, y gwas bach, oedd yn gorfod troi'r hylif yn y pair. Syrthiodd tri dropyn berwedig o'r hylif ar fys Gwion wrth iddo ei droi. (Aw!) Rhoddodd ei fys yn ei geg. Yn sydyn, nid Gwion y gwas bach oedd yno, ond bachgen doeth a chlyfar. Ond roedd e'n gwybod y

byddai Ceridwen o'i chof ag e, felly rhedodd oddi yno
nerth ei draed gyda'r ddewines yn dynn ar ei sodlau:

Er mwyn dianc rhag y fenyw felltigedig:

trodd Gwion ei hun yn ysgyfarnog,
ond trodd Ceridwen yn filgi i'w hela

yna trodd Gwion ei hun yn
bysgodyn a neidiodd i'r afon.
Ar unwaith newidiodd
Ceridwen yn ddyfrgi i'w ddal

ond yna roedd Gwion yn aderyn
a Ceridwen yn hebog yn ei hela

yn olaf trodd Gwion ei hun yn hedyn ŷd.

Trodd Ceridwen yn iâr
a llyncodd hi'r hedyn yn gyfan!

Mm . . . mm . . . dwi
wedi cael llond bol nawr!

Ai dyna ddiwedd Gwion bach yr hedyn heintus?
I ddarganfod rhagor o'r stori anhygoel hon – prynwch
gomic *Hanes Atgas y Celtiaid Cynhennus* yr wythnos
nesaf!

Pa fenyw felltigedig gafodd y marc uchaf gennych chi
tybed? A pham?

CARADOG Y CELT CARLAMUS

Erbyn hyn mae'n siŵr eich bod wedi sylwi bod mwy a mwy o hanes y Rhufeiniaid Rhyfygus yn dod i mewn i'r hanes atgas hwn. Ac roedden nhw'n mynd yn fwy a mwy rhyfygus ac yn dwyn mwy a mwy o dir ac eiddo'r Celtiaid drwy'r amser. A beth oedd ymateb y Celtiaid? Mynd yn fwy a mwy cynhennus, wrth gwrs!

A byddai stori un o'r Celtiaid Cynhennus hynny, Caradog y Celt Carlamus, wedi bod yn ffefryn ffantastig mewn comic cyffrous yn y cyfnod hwn. Mwynhewch y darllen!

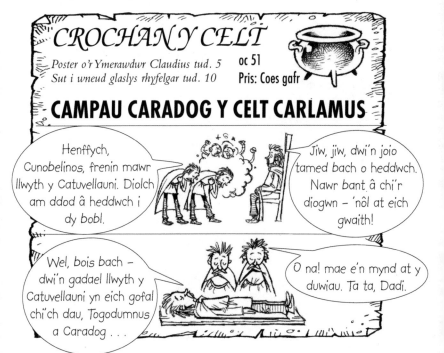

73

Fi yw Caradog y Celt Carlamus. Cyn i ti fy nghrogi, ga i ofyn un cwestiwn bach i ti'r Ymerawdwr ysglyfaethus? (Dyna dwp – bydd yn siŵr o gael ei grogi am fod mor anghwrtais.) Pam wyt ti eisiau tai mwd diflas y Celtiaid pan mae gen ti adeiladau mor anhygoel yma yn Rhufain (mae llyfu traed Ymerawdwr bob amser yn gweithio!)? Dim ond trio'u hamddiffyn nhw wnes i. Bw Hw!

Cwestiwn da ac ateb gwell. Dwi ddim eisiau tai mwd diflas y Celtiaid – ych a fi, nag ydw wir! OND dwi eisiau i bawb drwy'r byd wybod mai FI yw Ymerawdwr Rhufain Fawr – does neb yn cael fy herio i. Mae'n amlwg fod crogi a mynd at y duwiau yn rhy dda i ti, Caratacus y Celt carlamus, felly rwy'n mynd i dy anfon di i fyw gyda dy deulu bach del ar lan Môr y Canoldir. Bant ag e!

(Caratacus yw Caradog yn Lladin – roedd yn rhaid i Caradog y Celt ddysgu siarad Lladin nawr neu fyddai e ddim yn gallu prynu hufen iâ hyfryd yr Eidal!)

GWYLIAU – DEWCH I'R EIDAL – CARTREF ODDI CARTREF (HYD YN OED I GELTIAID!)

Jiw, mae'r Eidal yn bert. Dylen ni fod wedi dod am wyliau yma cyn hyn. Mae hyd yn oed y cestyll tywod yma'n well na chytiau mwd y Celtiaid druain!

Pardwn, Dad – elli di siarad Lladin gyda ni o hyn ymlaen, si tibi placet? (os gweli di'n dda, i chi a fi.)

75

A dyna ni – diwedd trasig i stori drasig Caradog y Celt carlamus.

Gobeithio na wnaethoch chi grio gormod wrth ei darllen. Wedi'r cyfan wnaeth Caradog ddim crio llawer ar ôl setlo yn yr Eidal a mwynhau La Dolce Vita (Eidaleg [neu Ladin heddiw] am Y Bywyd Braf).

CWIS CLYFAR AM Y RHUFEINIAID RHYFYGUS

I. *Pam roedd y Rhufeiniaid Rhyfygus wedi dod i Brydain?*
   (i) I ddwyn chwaraewyr pêl-droed gorau Cymru i chwarae i A.C. Milan neu Roma neu . . .
   (ii) I wylio'r Eidal yn chwarae rygbi yn erbyn Cymru.
   (iii) I brynu caethweision – cywilydd!

II. *Pryd oedd y Rhufeiniaid Rhyfygus wedi croesi'r sianel o Gâl (Ffrainc nawr) i Brydain?*
   (i) Pan oedd y llanw allan.
   (ii) Yn OC 43 pan oedd Claudius yn Ymerawdwr Rhufain.
   (iii) Pan doedd dim tir ar ôl i'w goncro ar gyfandir Ewrop.

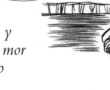

Bw hw! Dwi ddim eisiau mynd i ben draw'r byd.

III. *Pam roedd byddin bril y Rhufeiniaid Rhyfygus mor llwyddiannus yn concro llawer o Ewrop?*
   (i) Am ei bod hi mor drefnus a disgybledig.
   (ii) Am fod y bobl yn byw yno'n gachgwn ofnus. Pan oedden nhw'n GWELD byddin bril y Rhufeiniaid yn dod, roedden nhw'n rhedeg i ffwrdd â'u cynffonnau rhwng eu coesau.

(iii) Am fod eu gelynion bob amser yn cynhennu ymhlith ei gilydd. Nac oedden ddim! Oedden, roedden nhw!

IV. *Beth oedd y Rhufeiniaid Rhyfygus yn ei feddwl o'r Celtiaid?*

  (i) Roedden nhw'n meddwl eu bod nhw'r Rhufeiniaid yn llawer gwell na'r Celtiaid barbaraidd.

 (ii) Roedden nhw'n ofnus iawn o bob derwydd difrifol.

(iii) Roedden nhw'n ffansïo menywod melltigedig y Celtiaid yn fawr iawn.

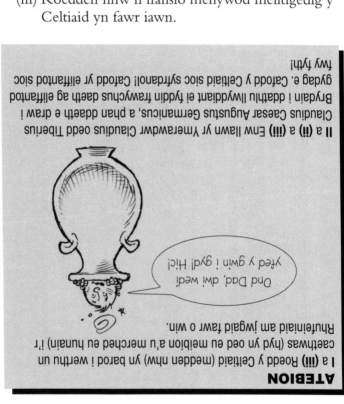

ATEBION

I a (iii) Roedd y Celtiaid (medden nhw) yn barod i werthu un caethwas (hyd yn oed eu meibion a'u merched eu hunain) i'r Rhufeiniaid am jwgaid fawr o win.

Ond Dad, dwi wedi yfed y gwin i gyd! Hic!

II a (ii) a (iii) Enw llawn yr Ymerawdwr Claudius oedd Tiberius Claudius Caesar Augustus Germanicus, a phan ddaeth e draw i Brydain i ddathlu llwyddiant ei fyddin frawychus daeth ag eliffantod gydag e. Cafodd y Celtiaid sioc syfrdanol! Cafodd yr eliffantod sioc fwy fyth!

Mawredd mawr! Beth maen nhw'n dy alw di?

Dwi ddim yn gallu cofio.*

(*Mae pawb yn gwybod nad ydy eliffantod byth yn anghofio unrhyw beth. Rhowch un i fyny'ch llawes i'ch helpu yn eich prawf Hanes nesa!)

III a **(i)** ac ychydig bach o **(iii)** hefyd (yn ôl y Rhufeiniaid Rhyfygus eu hunain). Bydd eich athrawon Hanes yn hoffi'r ateb parchus yma. Maen nhw'n hoffi disgyblion trefnus a disgybledig. Felly copïwch chi'r Rhufeiniaid rhagorol a martsiwch yn ôl i'ch dosbarth. Chwith, De, Chwith, De . . . neu Sinister–Dexter; Sin–Dex; Sin–Dex (mewn Lladin – i brofi eich bod chi'n Rhufeiniwr go iawn).

IV ac **(i)** Roedd y Rhufeiniaid yn ddigon rhyfygus i feddwl bod eu ffordd nhw o fyw yn well na ffordd pawb arall yn y byd! **(ii)** Oedden, ac felly fe laddon nhw bob derwydd diflas y cawson nhw hyd iddo, a **(iii)** Oedden, a does dim rhyfedd, achos doedd dim menywod wedi dod draw gyda'r fyddin Rufeinig i Brydain. Roedd hyd yn oed menywod melltigedig y Celtiaid yn well na dim menywod o gwbl!

BYDDIN ANHYGOEL Y RHUFEINIAID RHYFYGUS

Roedd rhyfelwyr rhyfeddol y Celtiaid Cynhennus yn dwlu ar ymladd ond roedden nhw'n anobeithiol am gydweithio yn fyddin drefnus a theidi. OND roedd y Rhufeiniaid Rhyfygus yn drefnus tu hwnt ac roedden nhw'n filwyr ffantastig. Bydden nhw wedi ymuno â'r fyddin fawreddog yn syth pe baen nhw wedi gweld poster pwysig fel hwn:

Ymunwch â'r Fyddin Rufeinig

Mae Lleng Augusta II

EICH ANGEN CHI!

Dylech chi fod:
- 🖙 yn 18 oed neu'n hŷn
- 🖙 ddim yn briod
- 🖙 yn barod i aros yn y fyddin am 25 mlynedd
- 🖙 yn ddinesydd Rhufeinig
- 🖙 yn 1.75 metr o daldra
- 🖙 â llygaid craff
- 🖙 yn gallu siarad Lladin.

Cewch chi gyfle gwych i:
- 🖙 weld y byd
- 🖙 dysgu ymladd yn drefnus
- 🖙 bod yn rhan o dîm
- 🖙 gwisgo iwnifform uffernol
- 🖙 cael eich talu'n dda.

Tip Tip-top

Bydd eich athrawon Hanes haerllug yn genfigennus
iawn ohonoch chi os bydd gennych chi eich iwnifform
uffernol eich hunan, yn enwedig os byddwch chi'n
gwybod yr enwau Lladin am yr offer a'r darnau
gwahanol. Dysgwch nhw – a chi fydd seren y dosbarth.
Petaech chi'n llengfilwr Rhufeinig go-iawn byddai'r
fyddin yn talu am eich gwisg a'ch arfau, ond peidiwch
â disgwyl i'ch athrawon Hanes dalu'r un ddimai tuag ati.

Dwi ddim wedi priodi, wir yr!

25 mlynedd: Amser hir iawn. Roedd menywod Rhufeinig yn marw yn 40 oed!

Pi-po! Dwi'n gallu'ch gweld chi gyda'm llygad bach i!

Gweld y byd: Mm . . . m . . . gallech chi ddod i Gymru fach hyd yn oed!

Iwnifform uffernol: Wrth i'r milwyr Rhufeinig Rhyfygus fartsio i frwydr (SIN-DEX, SIN-DEX . . .) byddai eu hiwnifform uffernol yn disgleirio yn yr haul (beth? yng Nghymru?) ac yn codi ofn ofnadwy ar ryfelwyr rhagorol y Celtiaid Cynhennus.

Tâl: Byddech chi'n ennill 1 denarii y dydd. Pan fyddech chi wedi gweithio 150 diwrnod (tua 5 mis) gallech chi fforddio pâr o esgidiau ffasiynol – o'r diwedd.

PILUM – gwaywffon i'w thaflu o bellter at y gelyn (yna gallech chi redeg i ffwrdd)

GALEA – helmed i warchod y pen, y gwddf a'r wyneb (babi Mami!)

LORICA SEGMENTATA – arfwisg arbennig o ddarnau o fetel gyda strapiau lledr yn eu dal at ei gilydd. Os byddai un yn torri – llanast!

GLADIUS – cleddyf i'w wisgo ar yr ochr dde. Dim llawer o help os ydych chi'n llaw chwith lletchwith!

PUGIO – dagr bach twt i drywanu'r gelyn – SBLAT!

Ffedog fetel ddel i amddiffyn y corff

Tiwnig wlân gynnes i'w gwisgo dan yr arfwisg rhag ofn y bydd honno'n crafu

CALIGAE – sandalau cryf â hoelion yn eu sodlau i roi cic dda i'r gelyn. Roedd yr hoelion yn atseinio wrth i'r llengfilwyr fartsio – TRAMP, TRAMP, TRAMP ac roedd y sŵn yn wych am godi ofn ar y gelyn

SCUTUM – tarian hirsgwar fawr i guddio y tu ôl iddi mewn brwydr gas (babi Mam-gu!).

Pum Pwynt Pigog am Fyddin Fawreddog y Rhufeiniaid Rhyfygus:

1. Mae'n siŵr eich bod chi'n wych am gyfrif yn eich pen. Ond doedd dim siâp ar y Rhufeiniaid Rhyfygus. Mae pawb yn gwybod mai ystyr CANWRIAD yw swyddog sy'n gofalu am 100 o ddynion (gwŷr) neu CENTURIA. Ond na, roedd yn rhaid i'r Rhufeiniaid fod yn wahanol i bawb arall. LXXX neu 80 o lengfilwyr oedd dan ofal y canwriad creulon yn eu centuria nhw.

LXXVIII, LXXIX, LXXX – *ble mae'r* XX *arall wedi mynd?*

A dyma ragor o fathemateg pen poenus i'ch profi chi:
Os oedd VI centuria mewn mintai, faint o lengfilwyr oedd hynny? [CCCCLXXX]
Os oedd X mintai mewn lleng, faint o lengfilwyr oedd hynny? [MMMMDCCC]
Ac os oedd XXX lleng yn y fyddin fawreddog gyfan, faint o lengfilwyr oedd hynny? Dim syniad!

Cliw clyfar:
Dyma fe: I = 1; V = 5; X = 10; L = 50; C = 100; D = 500; M = 1000.

Ydych chi'n dal ar goll yng nghanol y symiau syfrdanol hyn? Tynnwch eich seren, gwisgwch eich cap twpsyn ac ewch i sefyll yn y gornel.

2. Roedd y llengfilwyr yn cael eu talu mewn arian ac mewn halen. Mae'n siŵr eu bod nhw'n halen y ddaear ac yn werth eu halen (Ha ha! Jôcs Rhufeinig hallt). Sut fyddai eich athrawon chi yn hoffi cael eu talu mewn halen, tybed?

Wel wir, byddwn i wedi meddwl bod gorfod dysgu Hanes i flwyddyn 7 yn haeddu mwy o halen na hynna!

Cymerwch yr hanesyn yna gyda phinsiad da o halen (a phupur a finegr os ydych chi eisiau hefyd).

3. Doedd y llengfilwyr ddim mor dwp ag oedden nhw'n edrych. Fydden NHW ddim yn rhuthro ar y blaen i mewn i frwydr. O na – y milwyr atodol oedd yn gorfod gwneud hynny ac felly nhw oedd y cyntaf i gael eu lladd neu eu hanafu. Dynion oedd wedi cael eu concro gan y Rhufeiniaid oedd y milwyr atodol gan amlaf ac roedden nhw'n filwyr gwych. Roedd llawer ohonyn nhw'n saethwyr syfrdanol (nid gyda gwn ond gyda bwa a saeth).

Ar ôl bod yn filwyr atodol yn y fyddin fawreddog am 25 mlynedd gallech chi fod yn ddinesydd Rhufeinig – meddyliwch! Dyna fraint!

Na, elli di ddim bod yn ddinesydd Rhufeinig eto – dim ond am 24½ mlynedd rwyt ti wedi bod yn ymladd drosom ni.

Cyfrinach fach: I nabod milwr atodol sylwch ar ei darian e (ond nid ar ganol brwydr neu bydd wedi eich lladd). Roedd ei darian e'n hirgrwn ond siâp hirsgwar oedd i scutum llengfilwr.

4. Roedd gan bob lleng lumanwr yn cario arwydd y lleng, sef eryr ar ben polyn uchel. Nid eryr go iawn oedd e ac nid un wedi ei stwffio – ond un pres, copr neu aur. Gan amlaf roedd y llumanwr yn filwr dewr iawn – wel, roedd e'n ddigon dewr (neu dwp) i gerdded ar flaen y fyddin i mewn i frwydr heb gleddyf na gwaywffon o gwbl. Ac am ei ben roedd e'n gwisgo pen llew i godi braw brawychus ar y gelyn. Llumanwyr oedd yr unig swyddogion yn y fyddin oedd yn cael gwisgo crwyn anifeiliaid – handi iawn yng Nghymru fach.

[Digon gwir –Ymerawdwr oedd enw BÒS y
Rhufeiniaid nid brenin.]

5. Nid cleddyfau, gwaywffyn, dagrau a saethau oedd yr
unig arfau oedd gan y Rhufeiniaid Rhyfygus i'w
helpu i ymladd. Roedd ganddyn nhw beiriannau
rhyfel rhyfeddol hefyd:
  • **Ballista** – peiriant enfawr i hyrddio picelli haearn
    o bellter i drywanu'r gelyn yn farw gorn (AW!)
  • **Aries** – darn hir o bren ar siâp pen hwrdd
    ar olwynion i fwrw a thyllu waliau a drysau
    (Bwm bwm!)
  • ac **Onager** – catapwlt anferthol i luchio creigiau a
    pheli clai yn llawn defnydd cynnau tân i losgi
    cartrefi'r gelyn yn ulw (Fflach! Bang!).

Mae peiriannau rhyfel y Rhufeiniaid yn dân ar fy nghroen i!

Felix y milwr ffwdanus

Hyd yn oed ar ôl cael ei dderbyn i'r Fyddin Fawreddog a chael iwnifform uffernol roedd ambell lengfilwr yn ddiflas a thrist. Efallai mai dyma sut y byddai Felix, y milwr ffwdanus, wedi ysgrifennu adre at ei Fami faldodus (Mater yn Lladin) yn Rhufain bell.

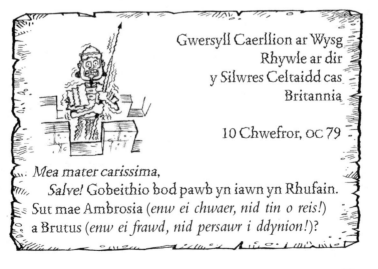

Gwersyll Caerllion ar Wysg
Rhywle ar dir
y Silwres Celtaidd cas
Britannia

10 Chwefror, OC 79

Mea mater carissima,
Salve! Gobeithio bod pawb yn iawn yn Rhufain. Sut mae Ambrosia (enw ei chwaer, nid tin o reis!) a Brutus (enw ei frawd, nid persawr i ddynion!)?

Dwi'n meddwl amdanoch chi bob munud a dwi eisiau dod adre atoch chi a'r teulu (*Bw hw!*). Pan ymunes i â'r fyddin fawreddog yma, doeddwn i ddim wedi sylweddoli nad oes modd dianc ohoni am 25 mlynedd! Bydda i'n 43 oed ac yn hen iawn, iawn erbyn hynny. (*Dylet ti fod wedi darllen y poster yn iawn, filwr twp.*)

Diolch yn fawr am y llythyr a'r parsel anfonoch chi ata i. Yn anffodus roedd yr olewydd wedi mynd yn ddrwg ar y daith a'r sudd slwtshlyd wedi mynd dros y llythyr i gyd. Ac roedd cywion ffesant wedi deor o'r wyau erbyn iddyn nhw gyrraedd fan hyn.

Gobeithio bydd yr wyau yma'n dal yn ffres pan gyrhaeddan nhw Felix bach.

Felix,
Lleng Augusta II
Caerllion ar Wysg,
Britannia

Tybed allech chi anfon pâr o sanau a sgarff ata i'r tro nesa? Mae hi MOR oer yma yng Nghymru. Ar hyn o bryd dwi ar ddyletswydd ar ben twr y gaer a dwi bron â rhewi. Mae 'nannedd i'n rhincian, mae 'nghoesau i'n rhynnu, mae 'nghlustiau i … (*dyna ddigon y mwlsyn maldodus! Cofia dy fod di'n un o filwyr bril y Rhufeiniaid Rhyfygus.*) Mae cymaint o wynt a glaw yma (*byddai ymbarél wedi bod o help i'r creadur bach ond doedd hwnnw ddim wedi cael ei ddyfeisio eto*).

Dwi'n crynu yn fy sandalau'r rhan fwyaf o'r amser.
Ac mae penaethiaid y gaer mor dwp. Maen nhw'n
mynnu ein bod ni'n gwisgo iwnifform milwyr
Rhufeinig fel tasem ni gartre yn yr Eidal yn lle gadael
i ni wisgo fel y Celtiaid Cynhennus
mewn trowsusau cynnes a
chlogynnau gwlân, twym. Mae'n
rhaid i ni wisgo sandalau agored
hyd yn oed. Ond o leia'
rydyn ni'n cael stwffio
darnau o wlân rhwng bysedd
ein traed i'n cadw rhag cael
llosg eira. Mae'r lliw haul ges
i gartre yr haf diwetha' wedi
hen ddiflannu – dwi'n wyn
fel y galchen erbyn hyn.

> Tybed wnaiff y
> sôs brown yma roi
> tipyn o liw haul
> i fi?

Mae'n anodd disgrifio'r lle
yma. Mae Caerllion ar lan
afon fawr ond i fyny yn y bryniau o'n cwmpas ni ym
mhob man mae llwyth lloerig o Geltiaid Cynhennus
yn ein bygwth drwy'r amser. Mae cymaint o ofn y
Silwres sarrug arna i. Dwi'n gwisgo fy *bulla* (*swyn i
ddod â lwc dda*) o gwmpas fy ngwddf fel y dwedaist
ti wrtho i, *mea mater carissima* (*fy Mami annwyl yw
hwnna mewn Lladin*). Ond dydy e ddim llawer o
help pan dwi'n wynebu rhyfelwyr creulon yn
ymladd yn noeth, â thatŵs lliwgar drostyn nhw i
gyd. Ac maen nhw'n sgrechian a gweiddi mewn
rhyw iaith farbaraidd ryfedd. Helpus! Helpus!
(*rhywbeth tebyg i Ladin yw hwnna am Help!*).

Ond diolch am un peth. Dwi'n llengfilwr go iawn nawr, nid yn rhyw brentis bach dibwys. Dwi ddim yn gorfod treulio bob dydd yn clirio'r draeniau neu'n glanhau toiledau'r barics bellach (*Jiw jiw – dyna jobsys jiawledig*). Roedd hi'n anodd gwybod beth i'w wneud â'r mopiau sychu pen-ôl ar ôl i'r milwyr eu defnyddio – maen nhw'n drewi mor ofnadwy. Ond dim rhagor o'r diflastod yna i fi, achos fy ngwaith i nawr yw gwarchod y gaer a dangos i'r Celtiaid barbaraidd mai NI'r Rhufeiniaid yw'r BÓS.

Fory bydd yn rhaid i fi wneud job arall – adeiladu'r ffordd fawr o Gaerllion tua'r gorllewin gwyllt (*na, nid traffordd yr M4, ond bron iawn cystal*). Bydd yn rhaid i fi gofio rhoi pabell ac offer cloddio yn y bag. A phadell ffrio i goginio cig moch, sosej, madarch ac wy (*Mm ... m*). Bydda i'n pacio bisgedi sych a dŵr hefyd er mwyn gwneud uwd iachus i'w fwyta (*iych-pych!*). Yn bersonol, dwi ddim yn meddwl mai ni, y milwyr mawreddog, ddylai wneud y job yma. Dylen ni gael caethweision neu Silwres sarrug i wneud y gwaith gwarthus yma yn ein lle.

Mae pob ffordd Rufeinig i fod yn syth fel saeth . . .

Wps! Ond doedden nhw ddim wedi gweld mynyddoedd Cymru pan ddwedon nhw hynna!

Bydd y gwaith caled yma yn ein cadw ni'n ffit ac yn iach, ac mae'r Canwriad yn hoffi milwyr ffit. Rydyn ni wedi gorfod dysgu nofio (*trueni bod carthion toiledau'r barics yn golchi i lawr i'r afon er hynny!*). Mae disgwyl i ni'r llengfilwyr fod yn gallu rhedeg 36 cilometr mewn 5 awr. (*Ocê ocê, mae pawb yn gwybod bod menywod sy'n rhedeg ras farathon heddiw yn rhedeg 42 cilometr mewn dwy awr a chwarter!*)

Bydd hi'n demtasiwn fawr i redeg i ffwrdd fory a dal y fferi 'nôl i Ffrainc (*Sori, mêt, doedd y fferi ddim wedi cael ei dyfeisio eto chwaith*). Ond os gwna i hynny bydd y milwyr eraill yn cael fy nghuro i i farwolaeth gyda ffyn a cherrig a ... (*na, na! – mae'n rhy hunllefus*).

> Ond mae pob ffordd Rufeinig i fod i arwain at Rufain! *Helpus . . .*

Mami, gallwch chi weld nad ydw'n hoffi bod yn filwr. Dwi ddim yn ddewr iawn.

O wel, dim ond 24 mlynedd arall sy'n rhaid i fi eu dioddef eto, diolch byth. Efallai y caf i symud i rywle cynhesach yn fuan ...

Rhaid i mi fynd ... Mae'r oerfel yma'n fy ngwneud i'n gysglyd ...

Eich annwyl fab ffwdanus a ffyslyd, Feli...

(*Ch Ch Rhoch rhoch – chwyrnu mawr . . .*)

[**RHYBUDD**: Byddai llengfilwr oedd yn cysgu wrth ei waith yn cael ei gosbi'n greulon. Byddai'r Canwriad yn ei guro, ei ffusto a'i waldio ar draws ei gefn a'i freichiau. Roedd ganddo fe ffon gref, metr o hyd, o bren gwinwydden at y gwaith gwarthus hwn.]

A gyda llaw, ystyr yr enw Lladin Felix ydy 'llawen' neu 'ffodus'! Oedd ei dadi a'i fami e'n nabod eu Felix bach nhw, tybed?

ARFERION AFIACH-ACH Y RHUFEINIAID RHYFYGUS

Efallai fod gan y Celtiaid Cynhennus arferion afiach (pigo'u trwynau; cario pennau eu gelynion o gwmpas y lle . . .) ond roedd rhai o arferion y Rhufeiniaid Rhyfygus yn afiach-ach hyd yn oed.

Gobeithio na wnewch chi chwydu wrth ddarllen amdanyn nhw. Dewch am dro o gwmpas:

Arddangosfa o Arferion Afiach-ach y Rhufeiniaid Rhyfygus

• **_Glanhewch eich dannedd gyda'r past dannedd gorau yn y byd_**:

Llwydni Llygoden –
wedi'i wneud o ymennydd llygoden.

> Dwi ddim yn gwybod ble ydw i. Trueni na fydden nhw wedi defnyddio 'nghynffon i yn lle'n ymennydd i!

Yn gyntaf rhaid cael hyd i lygoden ag ymennydd. Yna, tynnu'r ymennydd, ei sychu a'i falu'n bowdwr mân. Defnyddiwch frigyn bach i rwbio'r powdwr ar eich dannedd. Byddan nhw'n llwyd hyfryd wedyn.

Ond os ydych chi eisiau dannedd gwynnach na gwyn, defnyddiwch bast wedi ei wneud o biso dyn neu fenyw. Yn anffodus mae'n gadael blas cas yn y geg – ych a fi!

- **Mwynhewch gwmni eich cyd-filwyr wrth fynd i'r tŷ bach**. Byddwch yn gallu eistedd yn dwt mewn rhes a chael sgwrs braf am y tywydd, y drewdod neu am ladd gladiatoriaid yr un pryd. Mynnwch fop sbwng i sychu'ch pen-ôl yn y tŷ bach bendigedig hwn. Yna golchwch y sbwng mewn finegr yn barod i'w ddefnyddio eto. Dyna ailgylchu da – llawer gwell na phapur tŷ bach.

Ond os byddwch chi eisiau mynd i'r tŷ bach yn sydyn pan ydych allan yn joio, gallwch chi'r dynion ddefnyddio'r jariau crochenwaith sydd ar gornel pob stryd. Ond beth am y menywod druan? Beth oedden nhw i fod i'w wneud? (Efallai nad oedden nhw'n cael mynd allan i joio?)

- *Peidiwch â phoeni os byddwch chi'n glafoerio neu'n poeri bwyd dros bob man wrth fwyta mewn gwledd gampus.* Gofynnwch i'ch caethweision sychu'r glafoerion gwarthus a'r llysnafedd lletchwith.

  Yna anfonwch eich caethweision eraill i gropian o dan fwrdd y wledd i gasglu'r bwyd sydd dros ben oddi ar y llawr – bydd e'n gwneud pryd bwyd blasus iawn iddyn nhw.

- *I ragweld beth sy'n mynd i ddigwydd yn y dyfodol – ewch i ymweld â dyn hysbys doeth ac ewch ag anifail marw (draenog, cwningen, buwch . . .) gyda chi.* Sefwch yn bell yn ôl pan fydd e'n torri'r anifail yn ei hanner (**Sblat!**) ac yn tynnu'r ymysgaroedd allan (**Sblash!**). Bydd e'n darllen eich dyfodol chi trwy astudio'r perfeddion pwdr.

- *Ferched, ydych chi'n colli eich gwallt neu'n mynd yn wyn?* (Roedd hynny'n poeni menywod y Rhufeiniaid Rhyfygus hefyd, fel menywod heddiw.)

Mae'r ateb gennym ni. Clymwch eich caethferch â rhaff a thorrwch ei gwallt du hir, pert hi i ffwrdd. Gwnewch wig ohono fe. Byddwch yn edrych fel brenhines ynddo (neu fel caethferch wrth gwrs!). Ond bydd y gaethferch yn edrych fel pechod, druan fach.

- **Ydy eich ffrind gorau yn drewi?** Oes angen help arno i olchi chwys a baw i ffwrdd? Yna, beth am rwbio olew'r olewydd i mewn i'w groen yn galed. Peidiwch â phoeni os bydd e'n llithro o'ch gafael. (Wps! Ble mae e nawr?) Yna crafwch yr olew i ffwrdd â chrafwr metel (**Aw! Aw!**). (Gallwch ddefnyddio'r olew i ffrio sglodion wedyn, os na fydd gormod o chwys ynddo fe!)

- **Filwyr – ydych chi wedi cael anaf difrifol mewn brwydr?** Yna, gwnewch fodel o'r darn o'r corff gafodd ei anafu a dewch ag e i'w hongian yn y deml yn offrwm i'r duwiau. (Ie, ie, y meddygon oedd wedi eich achub a'ch gwella chi ond y duwiau sy'n cael y diolch. Fel pan fyddwch chi wedi gwneud yn dda mewn prawf, bydd eich athrawon yn cael y clod i gyd.)

- **Ydych chi bron â marw?** Os felly, gofalwch eich bod chi'n cael eich claddu ar ochr y ffordd y tu allan i'r gaer neu'r dref lle rydych chi'n byw. (Bydd yn rhaid i chi farw'n gyntaf a chael help rhywun byw i wneud hyn, wrth gwrs.) Neu bydd disgwyl i'ch ysbryd chi ddod allan o'r bedd i godi ofn ar y trigolion truenus.

- **Ydych chi eisiau profi eich bod yn Rhufeiniwr Rhyfygus go iawn?** Yna gwisgwch eich TOGA taclus – gwisg ysblennydd pob Rhufeiniwr gwerth ei halen. Gallwch wneud eich toga eich hun. Ewch draw i'r farchnad a phrynu darn o wlanen wen. Bydd angen chwe metr ohono.

1. Yn gyntaf gwisgwch eich tiwnig a chlymwch gortyn am eich canol.

2. Lapiwch y defnydd hir o gwmpas eich corff. Taflwch un darn dros eich ysgwydd chwith. Bydd llawer o blygiadau yn y cefn a gadewch un darn i

hongian dros eich braich chwith. Ydych chi
mewn cawdel llwyr? Ydych chi mewn twll? Yna,
dewch allan ohono fe!

Dwi ddim yn credu
'mod i wedi deall sut i
wisgo toga yn iawn!

Yn anffodus – roedd gwisgo toga twt yn syniad
twp iawn os oeddech chi'n byw mewn gwlad
wyntog fel Cymru. Byddech chi bron â rhewi
ynddo. A byddai'r gwynt yn chwythu'r toga i fyny a
phawb yn gallu gweld eich . . . (Sh . . . sh . . . mae'r
syniad yn rhy ofnadwy!).

Wel wel, ro'n i
wedi bod yn meddwl
tybed beth oedden
nhw'n ei wisgo o
dan y toga!

Yn ffodus – gallech chi wisgo SUBLIGACULUM – pants neu drôns cynnes dan eich toga i gadw'ch pen-ôl yn dwym.

Yn ffodus iawn – roedd y merched yn gallach na'r dynion – doedden nhw ddim yn gwisgo toga twp. *Stola* – ffrog ddel â gwregys am y canol oedd ganddyn nhw.

Ac yn ffodus iawn iawn – roedd y menywod yn gwisgo *subligaculum* o dan eu *stola* hefyd, rhag ofn i'r gwynt godi . . .

UN ARFER AFIACH-ACH ARALL

- *Ydych chi'n fandal dyfeisgar sy'n hoffi ysgrifennu graffiti ar waliau (a desgiau'r dosbarth)?*
Yna, byddech chi wedi bod yn Rhufeiniwr Rhyfygus ardderchog. Roedden nhw wrth eu bodd yn ysgrifennu pob math o negeseuon atgas ar hyd y lle. Gwisgwch fel Rhufeiniwr (mewn toga twt) ac ysgrifennwch eich neges ar wal yr ysgol – mewn Lladin, wrth gwrs. Dwedwch wrth bawb mai gwaith cartref Hanes ydy e.

★ Dyfalwch pwy oedd wedi ennill!

CAEL LLOND BOL GYDA'R RHUFEINIAID RHYFYGUS

Maen nhw'n dweud bod byddin yn martsio ar ei stumog.

Dyma syniad twp. Pam na allwn ni ddefnyddio'n traed fel pawb arall?

Ond tybed a allwch chi stumogi ymuno â byddin y Rhufeiniaid Rhyfygus mewn pryd o fwyd blasus?

Os felly, gwisgwch eich toga gorau a dewch draw erbyn 5 o'r gloch yr hwyr i fila fendigedig Quintus Sextus (enw twp – Pum Chwech yn Gymraeg! Ond peidiwch â dweud wrtho neu efallai na chewch chi swper o gwbl). Ar ôl cyrraedd gwnewch eich hun yn gyfforddus – gorweddwch ar eich ochr ar glustogau ar y llawr (cyfforddus?!). Fydd dim angen cyllell, fforc na llwy – defnyddiwch eich bysedd. Bydd y caethweision campus yn dod â dŵr mewn powlen i chi olchi'ch dwylo.

A dyma hi'r Fwydlen Fythgofiadwy. Os byddwch chi'n chwydu wrth flasu'r bwyd bril hwn, peidiwch â phoeni. Byddwch chi fel pawb arall yn y wledd.

Bydd Quintus ei hun yn siŵr o fwyta a bwyta a bwyta nes ei fod bron â byrstio. Yna bydd yn gadael yr ystafell i chwydu'r bwyd. Beth nesa? Wel, dod 'nôl a dechrau bwyta a bwyta a bwyta unwaith eto, wrth gwrs – nes ei fod yn mynd allan unwaith eto i chwy . . . du . . . I-Ych!! Roedd gan y Rhufeiniaid Rhyfygus ddihareb ddiddorol am hyn:

RYDYN NI'N BWYTA I CHWYDU AC YNA
RYDYN NI'N CHWYDU I FWYTA!

A phan fyddwch chi wedi cael digon (o'r bwyd, nid o'r cwmni) gallwch fynd â choes estrys neu drwyn pathew adre gyda chi yn bresant i'ch ci bach. Gofynnwch am fag ci. Bydd y bwyd yn slwtsh neis erbyn i chi gyrraedd adre.

BWYDLEN FYTHGOFIADWY
QUINTUS SEXTUS

CWRS CYNTAF
Ymennydd llo bach a rhosynnau
neu
Pathew pathetig wedi'i stwffio

PRIF GWRS
Estrys rhost mewn saws garum
neu
Cadair (pwrs) hwch wedi'i berwi

PWDIN
Pathew mewn mêl wedi'i rolio mewn hadau pabi

Digon o win i nofio ynddo

Ie, dyma fwyd Eidalaidd oes y Rhufeiniaid Rhyfygus – dim pasta, dim pitsa, dim spaghetti, dim tagliatteli, dim lasagne, dim hufen iâ, dim . . . (*CONSISTITE!* STOPIWCH – DYNA DDIGON!)

Oes chwant trio rhai o'r ryseitiau rhyfygus yma arnoch chi? Pob hwyl!

Pathew pathetig wedi'i stwffio

Cynhwysion cŵl:
Jar fawr
Llawer o gnau
Pathew pathetig o denau
Amynedd sant

Dull:
Daliwch eich pathew. Bydd hyn yn hawdd yn y gaeaf achos bydd e'n gaeafgysgu. Rhowch y pathew yn y jar gyda'r cnau. Bydd e'n dwlu ar fwyta'r cnau ac yn mynd yn dewach ac yn dewach. Ond mae hyn yn gallu cymryd misoedd – felly, bydd angen llawer o amynedd. Pan fydd e'n ddigon tew – lladdwch y pathew pathetig. Torrwch e yn ei hyd.

O na! Bydd yn rhaid torri'r jar werthfawr yma i dy gael di allan!

I wneud y stwffin: defnyddiwch gig porc wedi'i falu'n fân a pheth o gig y pathew. Ychwanegwch asiffeta neu faw'r diawl (Asiffeta! dyna enw hyll am berlysieuyn) a moch y coed (nid moch go iawn ond hadau o goed pinwydd). Stwffiwch y pathew pathetig â'r cymysgedd hwn. Defnyddiwch gortyn i bwytho'r stwffin i mewn ym mherfedd y pathew.

Coginiwch y pathew ar deilsen mewn stof nes ei fod yn barod (hynny yw, yn frown braf a'r blew wedi crimpio i gyd).

Bwytewch a joiwch!

Saws Garum
(ffefryn ffiaidd gan y Rhufeiniaid Rhyfygus)

Bydd angen:
Perfeddion pysgod bach
Llawer o halen
Digon o haul (problem yng Nghymru)
Perlysiau
Llawer o amynedd

Dull:
Daliwch a lladdwch eich pysgod bach. Tynnwch eu perfeddion a mwydwch nhw mewn halen. Yna gadewch y cymysgedd drewllyd yn yr haul am dri mis. Bydd angen llawer o amynedd unwaith eto! Yna, os gallwch chi ddioddef y gwynt, hidlwch y sudd fydd wedi casglu ar y top ac ychwanegu perlysiau ato i'w flasu (neu ei ddiflasu). Iym iym? Neu I-ych?

I weini'r saws garum gydag estrys rhost bydd rhaid i
chi ddal estrys hefyd. Felly bant â chi i Affrica.
Gobeithio'ch bod chi'n gallu rhedeg yn gyflym
iawn achos yr estrys yw'r aderyn cyflymaf yn y byd.
Mae'n gallu rhedeg 43 milltir yr awr!

Dario – dwi wedi cael
fy nal eto. Dyna ddirwy
arall o £LX!

Nodyn pwysig am y fwydlen yma: Ydych chi wedi
gweld hwch yn eistedd ar gadair neu'n siopa gyda
phwrs arian? Nac ydych, gobeithio. Tasg i chi felly i
ddarganfod beth oedd cadair (gair hwntws y de) neu
bwrs (gair gogs y gogledd) yr hwch yma a phenderfynu
a fyddech chi'n hoffi ei bwyta!

Cofiwch y bydd angen llawer iawn, iawn o win arnoch
chi i olchi'r wledd wych hon i lawr. Anghofiwch fod y
grawnwin wedi cael eu mathru dan draed noeth brwnt
a drewllyd Eidalwyr – mae chwys yn helpu i wneud
gwin yn fwy blasus (medden nhw!). Ac os byddwch chi
eisiau pi-pi ar ôl yfed cymaint – galwch ar y caethwas

i ddod â phot piso at y bwrdd a gallwch
wneud eich dŵr yn y fan a'r lle.

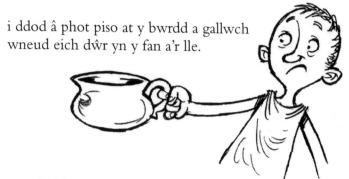

Diod ddanjerus

Un rhybudd am y gwin – roedd e'n cael ei gadw
mewn jariau wedi'u gwneud o blwm yn aml. Mae
plwm yn wenwynig iawn ac yn gallu gwneud pobl yn
sâl iawn – bola tost, pen tost, clust tost . . . Cadwch
draw wrth y gwin gwenwynig.

Bwyd buan

Dim amser i goginio?
Dim amynedd i aros i
bathew dewhau neu i
berfedd pysgod bydru?
Dim problem. Ewch
draw i'ch siop fwyd buan
a phrynwch gebab neu
ddau.

I wneud eich cebab eich hun:

• Mynnwch frigyn tenau a
  stwffiwch ddarnau o gig a
  llysiau arno.

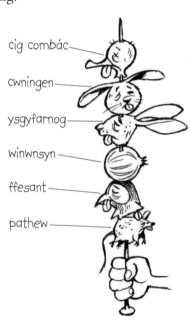

cig combác

cwningen

ysgyfarnog

winwnsyn

ffesant

pathew

- Gofalwch fod pob anifail wedi marw cyn i chi eu stwffio neu bydd gwichian a sŵn ofnadwy.
- Coginiwch y cebab dros dân agored – hyfryd iawn.

Bydd yn dod â dŵr i'ch dannedd a gallwch yfed hwnnw wedyn i dorri eich syched.

Bydd yn rhaid i fi godi tâl am y dŵr yma!

Gwynt gwarthus

Gallwch chi feio'r Rhufeiniaid Rhyfygus fod cymaint o wynt gwarthus yn eich ystafell ddosbarth bob prynhawn ar ôl i chi fwyta cinio ysgol yn llawn bresych, winwns (nionod), garlleg, maip, pys, seleri a shibwns. Nhw ddaeth â'r llysiau gwyntog hyn i Gymru.

Diolch byth fod y Rhufeiniaid Rhyfygus wedi mynd adre.

Ie wir! Gwynt teg (wel, drewllyd a dweud y gwir) ar eu hôl nhw!

Un pwynt pwysig iawn arall am y llysiau gwych yma:

Y Rhufeiniaid ddaeth â chennin i Gymru. Beth yn y byd fydden ni'n ei wneud ar ddydd Gŵyl Dewi heb gennin? Bwyta cawl pys a gwisgo bresych siŵr o fod! A byddai'n rhaid i ni ganu:

> ♪ *Gwisg fresychen yn dy gap,* ♪
> *A gwisg hi yn dy galon.*

GWLEDD O WAED A GWAE

I bob llengfilwr llawen oedd yn byw yng Nghaerllion,
23 Medi oedd uchafbwynt y flwyddyn. Dyma ddyddiad
pen-blwydd y lleng, Lleng II Augusta, a'r peth cyntaf
i'w wneud ar ôl codi yn y bore oedd ymuno â chôr
meibion lleol y lleng i ganu:

Pen-blwydd hapus i ti,
Pen-blwydd hapus i ti,
Pen-blwydd hapus, II Augusta,
Pen-blwydd hapus i ti!
Hip hip hwrê! Agi agi agi! Oi Oi Oi!

Ac wedyn draw â nhw yn un haid i'r amffitheatr fawr i
fwynhau diwrnod o wyliau a gwledd o waed a gwae
(Hip hip hwrê fawr arall).

Efallai y byddai'r llengfilwyr llawen wedi derbyn rhaglen fel hon:

PARTI PEN-BLWYDD LLENG II AUGUSTA

23 Medi OC 93

SIOE YSBLENNYDD O ADLONIANT ANHYGOEL

yn Amffitheatr newydd Caerllion

- Ymarferion Milwrol
- Dienyddio Drwgweithredwyr
- Cosbi Cristnogion
- Sioe yr Anifeiliaid Gwyllt
- Gornest y Gladiatoriaid

Bydd cyfle i fetio a gamblo, bwyta a diota hefyd

MYNEDIAD AM DDIM

Ymarferion Milwrol

Dyma gyfle gwych i'r llengfilwyr llawen arddangos eu talentau ymladd â chleddyfau a gwaywffyn a defnyddio'u tarianau'n gywir (neu bydden nhw'n cael eu lladd – **SBLAT-TAT**!).Yna martsio lan a lawr a lawr a lan yr arena nes eu bod wedi diffygio'n lân.

Dienyddio Drwgweithredwyr

Roedd gan y Rhufeiniaid Rhyfygus ddulliau dychrynllyd o ddienyddio troseddwyr trychinebus.

Heddiw mae tri pherson yn cael eu dienyddio:

1. Caethwas (dim ots am ei enw)

Trosedd: rhedeg i ffwrdd oddi wrth ei feistr i ymuno â'r Celtiaid. (Ond chwarae teg – un o'r Silwres ydy e ac roedd e eisiau mynd adre at Mami a Dadi!)

Cosb: Croeshoelio, sef hoelio person ar groes wrth ei draed a'i ddwylo – cosb erchyll iawn oedd yn cael ei defnyddio ar gyfer y bobl fwyaf dibwys a chaethweision yn arbennig. Ond . . . gan fod person oedd yn cael ei groeshoelio yn cymryd gormod o amser i farw yn yr arena ar ddydd gŵyl fel hyn, a bod gwylio hynny braidd yn bo-ring – roedd y caethwas bach Celtaidd hwn wedi cael ei fflangellu a'i chwipio, nes ei fod e bron â marw, a hynny cyn dod ag e i mewn i'r arena.

Barn y Llengfilwyr Llawen: Da iawn – cosb wych i gaethwas drwg.

2. Severus Victus, llengfilwr lloerig

Trosedd: Helpu gelyn yr Ymerodraeth Rufeinig (twt twt!).

Cosb: Mynd o flaen llys y gaer yn y basilica. Yno roedd rheithgor wedi gwrando ar yr achos a gwneud penderfyniad. Roedd gan bob rheithiwr dabled glai (nid i'w llyncu!). Ar un ochr i'r dabled roedd y llythyren **C** am *CONDEMNO* mewn Lladin (sef, Dwi'n condemnio) ac ar yr ochr arall **A** am *ABSOLVO* (Dwi'n rhyddhau). Roedd yn rhaid i bob rheithiwr benderfynu pa lythyren i'w dewis a rhwbio'r llall allan.

Wedyn roedden nhw'n rhoi'r tabledi mewn jar fawr a byddai cadeirydd y llys yn eu cyfrif:

Severus Victus:
XIII A - ABSOLVO a XV C - CONDEMNO!
EUOG!! Felly - BANT Â'I BEN!

Barn y Llengfilwyr Llawen: (Clapio dwylo mawr) – dyna ddysgu gwers i'r bradwr brwnt!

3. Petra Maximilia, menyw Rufeinig

Trosedd: Dwyn gŵr gwraig arall.

Cosb: tynnu ei dillad, rhoi fforch dan ei gên fel ei bod yn gorfod sefyll ar ei thraed drwy'r amser a ddim yn gallu penlinio. Ei chwipio i farwolaeth.

Barn y Llengfilwyr Llawen: Sioe anhygoel! Eitha' peth â hi – y wraig gywilyddus.

Bydd hwn yn chwip o berfformiad!

Ar ôl bore bendigedig yn gwylio'r adloniant anhygoel hwn, rhaid cael toriad cyn sesiwn swmpus y prynhawn. Amser i fetio pa gladiator fydd yn llwyddiannus a pha anifail fydd yn ennill y sioe yn yr arena, a chael cebab i'w fwyta a gwin i'w yfed (hyfryd iawn!).

Ac wedyn draw ar frys i'r tŷ bach i joio clonc cyn mynd yn ôl i'ch sedd yn yr amffitheatr fawr am ail hanner y sioe.

Betia i ti bod ni wedi yfed y gwin i gyd!

Ti'n meddwl? Hic Hic!

Cosbi Cristnogion

Hobi heintus y Rhufeiniaid Rhyfygus yn Rhufain yn y cyfnod hwn. Ond doedd y ffasiwn o losgi a llofruddio Cristnogion ddim wedi cyrraedd Cymru eto, gwaetha'r modd. A dweud y gwir, doedd y Cristnogion ddim wedi cyrraedd Cymru na Chaerllion eto chwaith, felly roedd hi'n anodd eu cosbi.

Barn y Llengfilwyr Llawen: Doedden nhw DDIM yn llawen pan glywon nhw'r newyddion drwg yma. Dim croeshoelio, dim dienyddio, dim fflangellu na chwipio Cristnogion – DIM BYD! Dyna ddiflas.

(*Ôl-nodyn ofnadwy*: Os bydden nhw wedi byw 200 o flynyddoedd yn ddiweddarach bydden nhw wedi gweld dau Gristion o'r enw Aaron a Julius yn cael eu merthyru mewn steil yng Nghaerllion. Ond erbyn hynny bydden nhw'n rhy hen a musgrell, mae'n debyg, i fwynhau'r hwyl greulon o gosbi Cristnogion.)

Trueni 'mod i mor hen. Dwi ddim yn gallu gweld y gwaed yn tasgu cystal!

Ie, bydd yn rhaid i fi gael teclyn clyw newydd. Dwi ddim yn gallu clywed y sgrechian a'r nadu'n iawn!

Sioe yr Anifeiliaid Gwyllt

Un o uchafbwyntiau'r ŵyl wych. Dwy awr o wylio:

- blaidd yn ymladd yn erbyn eliffant
- ceffyl gwyllt yn ymladd yn erbyn tarw
- baedd gwyllt yn ymladd yn erbyn pum antelop.

Yna roedd yr enillwyr yn ymladd yn erbyn ei gilydd nes mai dim ond UN oedd ar ôl. Pa anifail fyddai'n ennill tybed?

Cliw call: Roedd y llengfilwyr yn bwyta cig blaidd, eliffant, ceffyl gwyllt, baedd gwyllt a phum antelop i ginio am fisoedd wedyn (Iym . . . iym . . .). Gwledd o waed a gwae!

Ond roedd y tarw druan wedi cael cymaint o friwiau ac anafiadau wrth ennill y sioe, doedd ei gig e ddim yn ffit i'w fwyta hyd yn oed.

Dyna sbort a sbri – Hi hi!

Gornest y Gladiatoriaid

UCHAFBWYNT y sioe. Cyfle i weld pencampwyr y pencampwyr yn ymladd yn erbyn ei gilydd, nid am Gwpan y Byd neu glod yn Wimbledon, ond i benderfynu rhwng **MARW** neu **FYW**!

Bydd angen:

◆ Arena lân, felly rhaid clirio cyrff a chachu'r anifeiliaid gwyllt ar unwaith (jobyn arall i'r caethweision)

- ◆ Dyfarnwr dewr i reoli'r ornest

- ◆ Dau gladiator gwallgof a fydd yn ymladd hyd y diwedd. Byddan nhw wedi ymarfer yn galed, wedi bwyta'r diet gorau (dim bresych na maip i godi gwynt) a bydd y meddygon gorau wedi bod yn edrych ar eu holau. Dyma nhw:

Crassus y Gladiator o Moridunum*

Caethwas sy'n meddwl (peth meddal iawn yw meddwl) y bydd e'n cael dod yn ddyn rhydd os bydd e'n ennill yr ornest odidog hon. Mae e wedi ennill XX gornest yn barod.

Gaius y Gladiator o Isca Silurum**

Mae e wedi gwirfoddoli i fod yn gladiator (ydy e'n gall?) ac mae e'n gobeithio ennill clod a pharch a bri (dyna grachaidd!) am fod yn ymladdwr ysgubol. Mae e wedi ennill XX gornest cyn hyn hefyd.

[Gyda llaw dydy Gladys y Gladiator (ydyn, ydyn, mae menywod yn cael bod yn gladiatoriaid hefyd) ddim yn gallu cymryd rhan yn yr ornest heddiw'n anffodus – mae'n cael trin ei gwallt.]

---

* Dyma enw Lladin y Rhufeiniaid Rhyfygus am Gaerfyrddin. *West is best*?

** Dyma enw'r Lladin am Gaerllion. *East is best*?

Jiw, 'na biti!

Dario! Dwi'n colli'r cyfle i gael fy lladd gan flaidd neu faedd gwyllt heddi.

◆ Dwy iwnifform ysblennydd ar eu cyfer – helmedau haearn, mygydau haearn, padiau haearn i amddiffyn eu coesau, eu breichiau a'u hysgwyddau a chleddyfau (gladius y gladiator) haearn. Diolch byth mai'r Oes Haearn ydy hi (nid yr Oes Jeli!).

◆ Llond arena o lengfilwyr llawen sy'n dwlu ar waed a gwae, yn gwisgo sgarffiau a chapiau yn lliwiau eu gladiator arbennig nhw.

Gyd-Rufeinwyr, rhowch eich clustiau i mi (ffordd ddwl y Rhufeiniaid Rhyfygus o ofyn i chi wrando – peidiwch â thorri eich clustiau i ffwrdd). Heddiw yn y gornel goch mae Crassus o Moridunum (BW! BW!) yn ymladd yn erbyn Gaius y gladiator o Isca Silurum (Hwrê, Hwrê) yn y gornel las.

Noddwr y sioe yw Meridius o Venta Silurum a FE fydd yn penderfynu beth fydd yn digwydd i'r gladiator fydd yn colli. Felly gladiatoriaid – codwch eich cleddyfau. Mae'r ornest yn dechrau nawr!

Yr Ornest Odidog

O!

SBLAT!

A!

WHAM!

Mae Gaius yn taro Crassus â'i gleddyf y tu ôl i'w ben-lin (**Aw!**) – mae e'n syrthio i'r llawr (Der mlân boio bach!)

Mae Crassus yn taro'n ôl ac yn trywanu Gaius dan ei fraich. Mae'r gwaed yn pistyllio dros y llengfilwyr llawen (ond smotiog) yn y seddau blaen.

Ond mae Gaius yn llwyddo i ymosod yn ôl a **WHAM** – gydag un ymdrech fawr olaf mae'n bwrw Crassus ar ei ben nes bod ei benglog yn hollti a'i ymennydd ar hyd y llawr. Mae e bron iawn yn farw gorn (trist iawn, feri sad).

GAIUS O ISCA SILURUM, yn y gornel las, sydd wedi ennill!

Nawr rhaid i Meridius, y noddwr, benderfynu beth i'w wneud â Crassus y gladiator coch.

Gan ei bod hi ar ben ar **ben**glog Crassus o Moridunum – does dim dewis – BANT Â'I BEN E!

Meridius: Gaius, llongyfarchiadau mawr i ti am fod yn fuddugol a gan dy fod di'n ymddeol o ymladd ar ôl yr ornest hon, dyma wobr o gleddyf pren i ti.

Gaius: 'Diolch yn dalpe, Meridius. Bydd e'n handi iawn i . . . ym . . . m . . . chwarae yn yr ardd?'

Barn y Llengfilwyr Llawen am Sioe Ysblennydd y Gladiatoriaid: Diwrnod gwych, gwerth chweil. Digonedd o waed a gwae.

Rhybudd Rhyfygus: Peidiwch â gadael i'ch athrawon Hanes atgas (yr Hanes, nid yr athrawon!) eich perswadio i gymryd rhan mewn Hanes Byw drwy ail-greu sioe ysblennydd o'r fath mewn amffitheatr Rufeinig. Cadwch eich pen a dwedwch 'Dim diolch' yn gwrtais.

Ystadegau ysglyfaethus am amffitheatrau anhygoel y Rhufeiniaid Rhyfygus:

Yr amffitheatr fwyaf yn y byd Rhufeinig oedd y Coliseum (na, nid yr hen sinema ysblennydd yn Aberystwyth) yn Rhufain ei hun. Roedd yn gallu dal cynulleidfa o 87,000, ychydig llai na Wembley a 15,000 yn fwy na Stadiwm y Mileniwm yng Nghaerdydd.

I ddathlu agor y Coliseum yn OC 81 cynhalion nhw ŵyl enfawr a barodd am 100 niwrnod. Yn ystod y 'dathlu' cafodd 9000 o anifeiliaid gwyllt eu lladd mewn sioeau ysblennydd. Dyna hwyl!

Mewn un ŵyl debyg yn OC 240 cafodd 2000 o gladiatoriaid, 70 llew, 40 ceffyl gwyllt, 30 eliffant, 30 llewpard, 20 asyn gwyllt, 19 jiráff, 10 antelop, 10 hiena, 10 teigr, 1 afonfarch ac 1 rhinoseros eu lladd. Dyna hwyl fawr!

Yr eliffant mawr a'r teigr gwyllt,
I mewn i'r amffitheatr â chi;
Oes rhaid i chi gadw'r fath halibalŵ?
I mewn i'r amffitheatr â chi;
Ribidirês, ribidirês, i mewn i'r amffitheatr â chi,
Ribidirês, ribidirês, i mewn i'r amffitheatr â chi.

Roedd yr amffitheatr yng Nghaerllion yn dal cynulleidfa o tua 6000 − lleng gyfan + M arall. Felly, yr amser gorau i ymosod ar y gaer fyddai ar 23 Medi, diwrnod pen-blwydd y gaer bob blwyddyn. Byddai'r milwyr yn rhy brysur yn joio a gwledda a meddwi i boeni am amddiffyn y waliau. (Pam nad oedd y Celtiaid Cynhennus wedi meddwl am y dacteg gyfrwys hon?)

HWYL WRTH YMLACIO

Mae'n amlwg fod y Rhufeiniaid Rhyfygus yn cael sbort a sbri mawr yn yr amffitheatrau anhygoel. Ond beth arall oedden nhw'n ei wneud yn eu hamser hamdden?

Pa atebion sy'n **GYWIR** a pha rai sy'n **ANGHYWIR**? Dyna'r cwestiwn!

I. *Ble roedd llengfilwr llawen yn mynd ar ôl gorffen gwaith yn y gaer yng Nghaerllion?*
   (A) draw i'r ganolfan hamdden i ymlacio
   (B) allan o'r gaer i weld ei gariad
   (C) ar y bws i Gaerdydd i siopa.

Falle'n bod ni wedi adeiladu ffyrdd gwych, ond mae'r bysys yn dal yn hwyr!

II. *Beth oedd mewn canolfan hamdden Rufeinig?*
   (A) ali fowlio deg
   (B) iard a gymnasiwm
   (C) baddonau moethus i'r dynion a'r menywod.

III. *Pa fath o gyfleusterau oedd yn y baddonau?*
- (A) dŵr rhewllyd, drewllyd
- (B) ystafell newid hyfryd
- (C) nifer o faddonau gwahanol
- (CH) ystafell i dylino'r corff.

IV. *Pa synau oedd i'w clywed yn y baddonau?*
- (A) gwerthwyr sosejys yn gweiddi am gwsmeriaid
- (B) dynion yn sgrechian wrth gael tynnu blew
- (C) pobl yn sgwrsio, clebran, cloncan, wilia a baldorddi
- (Ch) gamblo a betio.

V. *Beth mae archeolegwyr wedi cael hyd iddyn nhw i lawr y draeniau yn y baddonau yng Nghaerllion?*
- (A) pinnau gwallt menywod
- (B) 88 o emau gwerthfawr
- (C) dannedd cyntaf plant bach
- (Ch) esgyrn cywion ieir.

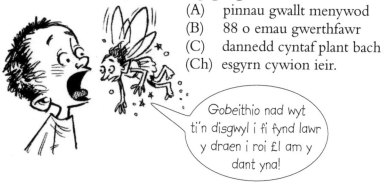

(Cofiwch, os dewiswch chi fynd yn archeolegydd ardderchog, byddwch yn treulio llawer iawn o'ch amser i lawr draeniau drewllyd fel hyn.)

VI. *Teml i ba dduw neu dduwies oedd yn y baddonau yng Nghaerllion?*
   (A)   Flora (duwies blodau, nid margarîn)
   (B)   Mawrth (duw rhyfel, nid mis o'r flwyddyn)
   (C)   Fortuna (duwies lwc dda a drwg, nid tîm pêl-droed Dusseldorf yn yr Almaen!).

CYWIR NEU ANGHYWIR? DYMA'R ATEBION:

I. (A) Roedd baddonau a phob math o gyfleusterau gwych, tebyg i'n canolfannau hamdden ni heddiw, i'r llengfilwyr ymlacio ynddyn nhw ym mhob caer Rufeinig fawr; a (B) gan nad oedd llengfilwyr yn cael priodi roedd gan lawer iawn ohonyn nhw gariadon yn byw yn y *vicus* y tu allan i furiau'r gaer (sws glec fawr – XXX). Os oedd llengfilwyr yn cael ei symud i ymladd mewn rhan arall o'r Ymerodraeth Rufeinig, roedd yn rhaid iddo fe benderfynu a oedd e eisiau talu i fynd â'i gariad, a'i blant, gydag e neu eu gadael ar ôl. Wrth gwrs roedd ambell fenyw yn falch iawn i gael gwared ag ambell gariad anffodus.

II. (B) Roedd cadw'n ffit yn bwysig iawn i'r Rhufeiniaid; ac **(C)**.

III. (B), **(C)** ac **(CH)** Roedd cyfleusterau baddonau Caerllion cystal â rhai heddiw: gydag ystafell newid o'r enw *apodyterium* i adael eich dillad; *frigidarium* yn llawn dŵr oer i roi sioc i'r system, *tepidarium* – dŵr cynnes braf, *caldarium* – dŵr poeth iawn i roi sioc arall i'r system. Os oeddech chi'n dal yn fyw ar ôl y ddwy sioc yna, gallech chi fynd i nofio yn y *natatio* – y pwll nofio. Ac i orffen byddai caethwas campus yn tylino eich corff. Dyna hyfryd!

(Os defnyddiwch chi'r enwau Lladin hyn wrth siarad â'ch athrawon Hanes fe gewch chi farciau llawn (C% i'r Rhufeiniaid) ym mhob prawf o hyn ymlaen.)

IV. (A), **(B)**, **(C)** ac **(CH)** – roedd y baddonau yn llefydd swnllyd iawn.

V. (A), **(B)**, **(C)** ac **(CH)**.

VI. (C) Fortuna oedd duwies y deml ym maddonau Caerllion. Gan fod pawb yn ymdrochi'n noeth, roedd y Rhufeiniaid yn ofnus y byddai anlwc ofnadwy yn gallu eu taro nhw a heb eu dillad i'w gwarchod. Roedd Fortuna i fod i gadw anlwc draw.

Help! Ble mae Fortuna pan mae ei hangen hi?

STORI SENTIMENTAL ELEN BENFELEN O SEGONTIUM

Byddai'r Celtiaid Cynhennus a'r Rhufeiniaid Rhyfygus wedi dwlu ar y stori sentimental hon, achos ynddi mae Ymerawdwr Rhufeinig yn syrthio mewn cariad â thywysoges Geltaidd (estynnwch am eich hances boced – mae'r dagrau yn dechrau llifo'n barod!). Byddai wedi gwneud opera sebon wych ar y teledu.

PENNOD 1

Mae'r stori yn dechrau yn OC 383. Erbyn hyn roedd y Cadfridog Magnus Maximus (Macsen Wledig i'r Celtiaid) wedi dod yn enwog am drechu'r Scotiaid a'r Pictiaid yn yr Alban.

ACTUS! AGI!

Magnus Maximus, rwyt ti wedi gwneud mor wych, fe ddylet ti herio'r Ymerawdwr Gratian a dod yn Ymerawdwr Rhufain dy hun.

Mm . . . syniad syfrdanol. Bant â ni draw i Gâl i drechu Gratian. Dewch, hogia*!

(Mae'n werth llyfu traed cadfridogion – maen nhw'n bobl bwerus iawn).

* Dyma dafodiaith drawiadol Segontium (neu Gaernarfon): hogia: bois, bechgyn; hogyn: bachgen; hogan: merch.

126

Dyna'r job yna wedi'i gwneud. Fi yw Ymerawdwr Rhufeinig y gorllewin nawr. Gadewch i ni fynd allan i hela i ddathlu!

Dwi wedi *blino'n lân* ar ôl yr holl hela yna. Dwi'n mynd i gael nap fach.

Rhaid i ni fod yn ofalus neu bydd ein hannwyl Macsen yn llosgi yn yr haul. Beth am godi cysgod o'i gwmpas gyda'n tariannau a'n gwaywffyn a rhoi tarian aur dan ei ben?

(Dyna annwyl!)

Fe gana i hwiangerdd iddo fe:
Si hei lwli Macsen,
Cysga'n dawel nawr,
Si hei lwli Macsen,
Breuddwydia freuddwyd fawr.
Si hei lwli, lwli lws,
Mae dy chwyrnu di mor dlws!
Si hei lwli Macsen,
O! cysga'n dawel nawr.

* Tafodiaith drawiadol Segontium (neu Gaernarfon): hogyn: bachgen; hogan: merch; S'mai cog?: Sut wyt ti boio?

Ond dechreuodd cŵn gyfarth a cheffylau weryru a deffrodd Macsen mewn sioc.

Pennod 2

ACTUS! AGI!

Dwi newydd gael breuddwyd anhygoel am yr hogan harddaf yn y byd i gyd. Dwi'n mynd i anfon XIII milwr i chwilio amdani. Ewch a pheidiwch dod 'nôl hebddi.

Ond mae'r rhif XIII yn anlwcus. Help!

Dwi ddim yn gwybod ble yn y byd ydyn ni. Go daria Magnus Maximus a'i freuddwyd fawreddog.

Hunllef heintus oedd hi. Ry'n ni wedi bod yn chwilio am dair blynedd erbyn hyn!

Edrychwch! Castell fel yr un yn y freuddwyd (*sut oedd e'n gwybod?*) a hogan ddel. Hon yw cariad Macsen, siŵr o fod.

Hy – dwi erioed wedi clywed amdano. Dwedwch wrtho am ddod yma ei hunan os ydy o eisiau caru Elen Benfelen o Segontium.

Hei 'rhen hogan – mae'n bòs ni, Magnus Maximus, Ymerawdwr Rhufain, wedi syrthio mewn cariad â ti.

Dyma fi, 'nghariad i – wedi dod yr holl ffordd o Rufain i ofyn i ti 'mhriodi i.

Ocê Macs, ond dwi eisiau i ti roi tair caer a ffyrdd syth yn rhedeg o un gaer i'r llall i fi fel presant priodas.

A dyna ni ddiwedd y stori sentimental – a bu'r ddau yn byw'n hapus wedyn, am byth bythoedd, Amen.

[Wel, ddim yn hollol achos cafodd yr Ymerawdwr Magnus Maximus ei ladd mewn brwydr yn OC 388.]

BETH RODDODD Y RHUFEINIAID RHYFYGUS I GYMRU ERIOED?

Cwestiwn da. A dyma rai atebion arddechog. Darllenwch am rai o ddyfeisiadau diddorol y Rhufeiniaid Rhyfygus.

(I)   Roedd technoleg eu hadeiladu
        Â choncrit a sment yn syfrdanu;
            Fe godon nhw bontydd
            Bwâu gwych a chelfydd;
        Yn wir, mae'n rhaid eu hedmygu.

Ond beth wnawn ni â'r holl ddom da 'ma nawr?

(II)   *Ond eu ffyrdd oedd eu campwaith penna',*
       Bob amser yn mynd y ffordd fyrra';
          O Isca i Nidum,
          Deva i Segontium,
       Ac yn ôl i Isca a Deva!

Ydych chi'n nabod yr enwau hyn? Isca – Caerllion,
Nidum – Castell-nedd; Deva – Caer; a Segontium –
Caernarfon. Ac yn ôl wrth gwrs!

Adeiladon nhw 8,000 o filltiroedd o ffyrdd ar hyd a
lled eu Hymerodraeth helaeth (M4, E56 ac A1 Oes y
Rhufeiniaid). Yng Nghymru adeiladon nhw ffordd o'r
de i'r gogledd (ac o'r gogledd i'r de) – llawer gwell na'n
ffyrdd ni heddiw. Mae Sarn Helen yn rhedeg yr holl
ffordd, tua 160 milltir, o Moridunum (Caerfyrddin) i
Canovium (Caer-hun) yn sir Conwy.

Ond cofiwch, os dewch chi ar draws Rhufeiniaid ar y
ffordd, eu bod nhw'n teithio ar yr ochr dde bob amser.
Roedden nhw'n meddwl bod gyrru ar y chwith yn
anlwcus iawn. Ac roedd e wrth gwrs, os oedd pawb
arall yn gyrru ar yr ochr dde! (**BANG! CRASH!**) Dyna bobl
*chwith*ig.

(III)　　*Hoff hobi'r Rhufeiniaid mwy gwirion*
　　　　Oedd malu teils a cherrig yn yfflon,
　　　　　Ac yna eu gludo
　　　　　Yn ôl unwaith eto,
　　　　I wneud lloriau i dai boneddigion.

Oedd, roedd y Rhufeiniaid yn debyg iawn i chi pan oeddech chi yn y cylch meithrin a'r dosbarth derbyn – yn torri darnau o bapur (neu deils a cherrig lliwgar yn eu hachos nhw) yn jibidêrs ac yna'n gweithio'n galed i wneud mosaic neu frithwaith del trwy eu gludo yn ôl at ei gilydd. Beth oedd y pwynt? Dim cliw. Oes ots?

(IV)　　*Mae'n ffasiynol yng Nghymru yn awr*
　　　　I wresogi ein tai dan y llawr,
　　　　　Ond i'r Rhufeiniaid mae'r clod
　　　　　Bod gwres canolog yn bod;
　　　　Felly bloeddiwn ynghyd 'Diolch yn fawr!'

Ond nid y Rhufeiniaid Rhyfygus oedd yn gorfod mynd i lawr i'r seler i gadw'r tân ynghynn er mwyn cynhesu'r dŵr oedd yn rhedeg trwy'r pibau i wresogi'r cartrefi. Gwaith y caethweision campus oedd hynny. Druan ohonyn nhw.

(V)   *Rhaid diolch iddo fe Iŵl Cesar,*
        Am fisoedd ein calendr clyfar,
            Deuddeg mis yn y flwyddyn
            A blwyddyn naid wedyn;
        Yn wir roedd e'n ddyn bach dyfeisgar!

Ac enwodd e un mis ar ei ôl ei enw e ei hunan – *July* o Julius Caesar yn Saesneg. Ond wnaeth y Celtiaid ddim copïo hynny. Galwon nhw *July* yn Gorffennaf! Enw twp iawn achos mae pawb yn gwybod mai dim ond dechrau mae'r haf ym mis **Gorffen**naf.

(VI)   *Er mai Celteg oedd iaith y Celtiaid*
        Lladraton nhw eiriau'r Rhufeiniaid
            Am lyfr a mur
            Am ffenest a thir
        Mae'n amlwg nad o'n nhw'n farbariaid.

Roedd y Rhufeiniaid yn galw pawb oedd ddim yn perthyn i'r Ymerodraeth Rufeinig yn farbariaid. Dyna haerllug!

Tra oedd y Rhufeiniaid Rhyfygus yn rheoli, newidiodd y Celtiaid yn Frythoniaid a oedd yn siarad Brythoneg. Ac ar ôl i'r Rhufeiniaid fynd adre trodd y Brythoniaid yn Gymry a oedd yn siarad Cymraeg (Hwrê!).

Pos pathetig i'ch profi

Ydych chi'n galu dyfalu pa eiriau mae'r Cymry wedi eu benthyg i'r iaith Gymraeg oddi wrth y Rhufeiniaid Rhyfygus? (Ond fyddwn ni ddim yn eu rhoi nhw'n ôl, er hynny.)

Lladin	*Cymraeg*
carus	nos
corpus	poen
murus	ystafell
aurum	llyfr
librum	tir
nox	cariad
poena	pont
terra	ffenestr

stabellum	corff
hospitium	aur
pons	mur
fenestra	ysbyty

Dyna glyfar! Does dim angen cliwiau, maen nhw'n rhy hawdd.

Hei, arhoswch funud, dy'ch chi ddim wedi gorffen sôn am ein dyfeisiau diddorol ni'r Rhufeiniaid Rhyfygus eto. Beth am ein system garthffosiaeth (daliwch eich trwyn); ein system addysg (ych pych neu wych?); ein cerrig milltir (bo-ring), ein tra-phontydd (tra-la-la) a'n . . .

Cau dy ben, y Rhufeiniwr ffroenuchel!

Y DIWEDD / *FINIS* I'R RHUFEINIAID RHYFYGUS A'R CELTIAID CYNHENNUS

Ac yna tua OC 410, ar ôl dyfeisio'r holl bethau diddorol a gwych yna, diflannodd y Rhufeiniaid Rhyfygus o Gymru am byth. Bant â phob cadfridog a chanwriad, pob llumanwr a llengfilwr, yn ôl dros y dŵr ac ar hyd y ffyrdd syth i Rufain. Hwyl Fawr!

Gallech chi feddwl y byddai'r Celtiaid Cynhennus wedi cynnal parti mawr i ddathlu a gweiddi, 'Hwrê a gwynt teg ar eich ôl chi!' Ond erbyn hynny, roedd y Celtiaid Cynhennus (rywsut neu'i gilydd) wedi newid a datblygu yn Frythoniaid Brawychus ac roedd gelynion eraill o Iwerddon ac Ewrop yn bygwth eu tir . . . ond stori arall yw honno.

Ac felly, gyfeillion, daw'r hanes i ben,
Yn ddisymwth o sydyn, syrthiodd y llen,

Wrth i'r Ymerodraeth Rufeinig chwythu'i phlwc
A diflannu am byth. Wel, dyna i chi lwc!

Fydd dim rhagor o sôn am sioeau ffiaidd,
Am deigrod a llewod yn ymladd yn giaidd,

Gladiatoriaid yn lladd a llofruddio'i gilydd,
A phawb yn joio heb unrhyw gywilydd.

Ond bydd colled, rhaid dweud, ar ôl y baddonau
A'r tai bach cysurus i orffwys penolau.

★ ★ ★

A phwy sy ar ôl wedi'r oesoedd cythryblus?
Ond disgynyddion y Celtiaid Cynhennus!

Dalion nhw'u tir a dod 'nôl yn gryfach
Fel Brythoniaid Brawychus, i hawlio bellach

Ynys Prydain gyfan, a chadw tir Cymru,
Lle bydd y Gymraeg cyn hir yn teyrnasu.

A gallwn ni'r Celtiaid floeddio ynghyd:
'Er gwaetha pawb a phopeth –
RY'N NI YMA O HYD!'

I ddod:
Y Chwedegau
Ych a fi